LES COLOMBES DU *Roi-Soleil*

87, quai Panhard-et-Levassor – 75647 Paris Cedex 13
ISBN : 978-2-0812-6512-7

ANNE-MARIE DESPLAT-DUC

LES COLOMBES DU *Roi-Soleil*

GERTRUDE ET LE NOUVEAU MONDE

Flammarion

CHAPITRE

1

Gertrude

Comment ai-je pu en arriver là ?

Si l'on m'avait dit que moi, Gertrude de Crémainville, je serais un jour enfermée dans une prison de femmes, j'aurais répondu avec hauteur : « Que nenni, ce genre d'endroit est réservé aux filles de basse condition ! »

Et pourtant, j'y suis.

Imaginer la peine et la honte que cela occasionna à ma mère me brise le cœur. Mon père, lui, dut tempêter ou pire m'ignorer, faire comme si je n'avais jamais existé, me rayer de sa vie. Mais ma douce maman... Je prierai chaque jour pour qu'elle ne meure pas de chagrin et surtout pour qu'elle me pardonne.

Plus j'y réfléchis, plus je me dis que, sans le vouloir, elle a été cause de ce malheur. Certes, elle a toujours été tendre avec moi et, en même temps, depuis l'enfance, elle m'a persuadé qu'une grande destinée m'attendait.

— Le sang des Condi coule dans vos veines, m'assurait-elle, puisqu'il coule aussi dans les miennes. J'ai fait une mésalliance en épousant votre père, mais vous, ma fille, vous rendrez l'honneur à notre famille.

Aussi, j'ai toujours été orgueilleuse. Cela ne lui déplaisait point, car elle considérait que l'orgueil permet de progresser.

— Il ne faut point se contenter de la médiocrité, me disait-elle, mais toujours viser l'excellence. C'est ainsi que l'on se hisse aux meilleures places !

À Saint-Cyr, on m'enseigna le contraire, me montrant que l'orgueil était un vice dont je devais me débarrasser pour devenir une demoiselle humble et soumise. Je n'y parvenais point, je donnais seulement le change en marchant tête baissée.

Jouer *Esther* plusieurs fois devant le roi et la cour me combla, même si je regrettais de n'avoir pas obtenu le premier rôle.

J'attendais avec impatience le moment où Mme de Maintenon m'annoncerait que j'étais demandée au parloir... Ce ne pourrait être que par un gentilhomme noble beau et riche comme ma mère me l'avait prédit.

Las, les jours passèrent et aucun gentilhomme ne vint pour moi.

En fait, ma vie bascula lorsque je rencontrai Anne de Castillon. Ce fut une vraie rencontre. Lorsqu'elle était encore dans la classe rouge, je l'avais déjà remarquée dans le parc ou à la chapelle. Et pourtant, nous étions deux cent cinquante à Saint-Cyr ! Mais elle, on aurait dit un ange. Un ange descendu tout droit du ciel. Elle était plus blonde que les blés avant la moisson, avait d'immenses yeux verts d'une douceur incomparable et une peau si claire que l'on avait envie d'y poser le doigt pour constater son velouté. Parfois, pendant les récréations, je m'arrangeais pour lui donner le bonjour, lui proposer de se joindre à notre jeu, mais ce n'était pas assez fréquent à mon goût, car nous avions comme consigne de demeurer avec les compagnes de notre classe.

Enfin, lorsqu'elle fut admise dans la classe jaune, je fus au comble du bonheur. Il émanait d'elle tant de douceur ! J'étais tout le contraire ! Cette différence aurait dû nous éloigner, elle nous rapprocha. Tout de suite, j'eus envie de la protéger. Contre quoi ? Contre qui ? Je ne me suis pas posé la question. Mais ce désir s'est imposé à moi avec force. Dieu l'avait mise sur mon chemin pour que je l'aide et la défende.

Lorsqu'il fut question de faire répéter *Athalie,* la nouvelle pièce écrite par M. Racine, à celles qui venaient juste d'entrer dans la classe jaune, j'espérais bien être choisie. Et quand Mlle du Pérou me désigna pour seconder Anne, je fus au comble de la joie. Bien sûr, je n'en laissais rien paraître pour obéir aux règles de notre maison et c'est en gardant un air imperturbable que j'acceptais.

Les heures que je passais à lui faire apprendre son texte sont les plus agréables de ma vie. Elle était appliquée quoique se laissant facilement distraire par le chant d'un oiseau dans le parc ou le frémissement des feuilles des arbres. Je la rappelais doucement à l'ordre. Elle me répondait d'une voix où perçait la tristesse :

— C'est que tout ce qui est dehors m'attire.

Je lui avouai :

— Moi aussi.

— Ainsi, vous aussi, vous souffrez de l'absence de liberté ?

— Oh, oui.

Elle me saisit la main.

— C'est si dur parfois. Pourtant, j'ai l'impression que les autres s'accommodent de cette vie de recluse.

— C'est que nous ne sommes pas de la même trempe ! Vous et moi sommes... comme des oiseaux et nous avons besoin d'espace.

— Oh, Gertrude, c'est exactement ce que je me dis.

Elle baisa ma main. Je la retirai vitement, car tout signe extérieur de tendresse était interdit. Et je ne souhaitais pas qu'elle soit punie. Pourtant ce geste enfantin me faisait chaud au cœur. Je manquais cruellement d'affection, comme sans doute la plupart de mes compagnes. J'avais dû quitter ma tendre mère et ma douce nourrice pour la rigueur de l'éducation de Saint-Cyr. Je cachais ma détresse en me confectionnant un personnage distant et froid. Anne venait de percer ma carapace et je savais que je ne pourrais plus me passer de sa présence.

Lorsque la règle de Saint-Cyr se durcit sous la férule de l'abbé Godet des Marais[1], qu'il nous fut interdit de poudrer nos cheveux, de lire de la poésie ou du théâtre, de pratiquer la danse et le chant profane, et que le silence devint obligatoire, je me révoltai :

— Quoi, nous voilà donc dans un couvent !

— M. l'abbé a convaincu Mme de Maintenon que ces pratiques vous conduisaient tout droit en enfer, me répondit Mlle du Pérou, la maîtresse de la classe jaune.

1. Lire *Le rêve d'Isabeau.*

— Oh, madame, je ne pense pas qu'un peu de poudre et l'amour de la poésie et du théâtre puissent nous vouer à l'enfer, sinon toute la cour y sera précipitée avant nous !

— Crémainville, on ne vous demande pas votre avis. Notre protectrice en a décidé ainsi, il n'y a point à discuter.

Tant que je pouvais approcher Anne dans la classe, lui parler sous le prétexte de lui expliquer un passage de l'Évangile qu'elle n'avait pas bien saisi, lui faire répéter le texte d'*Athalie,* je m'accommodais des changements que l'on nous imposait. Je ne voulais point porter préjudice à ma chère Anne en regimbant, ni lui montrer un visage chagrin.

Et puis, il y eut l'atroce journée où les maîtresses de chaque classe inspectèrent les dortoirs, vidèrent le contenu de nos coffres, en sortant nos livres, nos lettres, et ordonnèrent que tout ce qui n'était pas livre de prières soit brûlé.

Je me souviens de Jeanne s'accrochant au paquet de lettres reçues de ses parents, pleurant, suppliant sans attendrir Mlle du Pérou. J'appréhendais que l'on découvre sous mon matelas quelques billets tendres qu'Anne m'avait écrits. Je tremblais à l'idée qu'ils soient lus par notre maîtresse. Je savais bien qu'il était interdit d'entretenir une relation amicale suivie avec l'une de nos compagnes et que la règle voulait que nous nous aimions toutes pareillement. Si Mlle du Pérou lisait ces messages, elle rédigerait un rapport à Mme de Maintenon et cela pourrait nuire à Anne. Fort heureusement, Mlle du Pérou saisit les feuillets, les froissa et les jeta dans un grand sac avec les livres qu'elle avait déjà confisqués. Bien qu'attristée de perdre ces précieuses marques de tendresse, je soupirai de soulagement.

Lorsque la curée fut terminée, Mlle du Pérou nous dit :

— À l'avenir, vous n'aurez plus le droit d'échanger de billets entre vous, et le bavardage pendant les récréations sera limité. Nous vous proposerons des thèmes de discussion et nous en débattrons ensemble.

— Si je ne peux pas parler, je vais mourir ! m'exclamai-je.

— Silence, Crémainville ! me coupa Mme de Crécy, la maîtresse des bleues.

Cette femme me terrorisait. Elle allait devenir notre maîtresse prochainement puisque, ayant atteint nos seize ans, mes compagnes et moi allions entrer dans la classe bleue. Elle avait la réputation d'être dure et intransigeante et se flattait de persuader presque toutes les demoiselles qui lui étaient confiées de choisir la vie religieuse.

Avec moi, elle aurait du fil à retordre !

Ma réputation de demoiselle orgueilleuse avait dû lui être rapportée et elle devait penser qu'elle viendrait à bout de mes résistances. J'étais, quant à moi, persuadée du contraire. Nous ne pouvions pas nous entendre.

Je levai la tête pour la toiser et lui montrer à qui elle avait affaire. Elle soutint mon regard et ajouta :

— Cette maison vous a accueillie pour faire votre salut et je m'y emploierai quoi qu'il vous en coûte.

C'est moi qui baissai la tête. Il me semble qu'un sourire victorieux naquit sur ses lèvres.

Le passage dans la classe bleue fut une épreuve difficile. Non seulement, j'étais sous la férule de Mme de Crécy, mais je perdais la présence réconfortante d'Anne qui restait encore une année avec les jaunes.

Au cours de la journée, je posais machinalement les yeux à la place qu'elle occupait. J'attendais avec impatience les récréations pour la croiser, parfois la frôler. Mais je souffrais de son absence, comme si l'on m'avait amputé d'un bras ou d'une jambe.

Nous prîmes l'habitude de nous écrire deux ou trois mots d'encouragement sur des morceaux de feuille que nous déchirions au centre de nos cahiers. Oh, ce n'était rien, juste : « Je pense à toi », « Vas-tu bien ? » ou encore « Tu me manques », « As-tu bien dormi ? » Puis, avec mille ruses, nous faisions glisser ce message dans nos mains lorsque nous nous frôlions à la récréation ou lorsque nos rangs se croisaient au réfectoire ou vers la chapelle.

La crainte d'être découvertes faisait battre nos cœurs et augmentait, je crois, notre plaisir de transgresser l'interdit.

CHAPITRE

1 BIS

Anne

Gertrude est à la fois ma sœur et ma mère.

Je suis fille unique et je suis orpheline. Ma mère mourut d'une fièvre tierce, j'avais six ans, et mon père qui servait dans l'armée du roi fut tué dans les vallées savoyardes quatre ans plus tard. Mon oncle hérita donc de leurs biens et de moi. Je suppose que je l'encombrais. C'est pour cette raison qu'il sollicita pour moi une place dans la maison royale d'éducation de Saint-Cyr.

Cette maison devint la mienne, puisque je n'étais pas bien acceptée dans celle de mon oncle. Certes, la tendresse et la douceur d'une mère me manquèrent, mais l'amitié de mes compagnes la remplacèrent peu à peu.

Et puis, l'année où nous jouâmes *Athalie,* je fis la connaissance de Gertrude. C'est elle qui avait été désignée pour me faire répéter mon texte. Au début, j'étais si gauche que je bafouillais sans parvenir à retenir plus de trois phrases. Quelle patience elle déploya ! Et pourtant, à première vue, la patience ne semblait pas être une de ses qualités : elle était plutôt vive et autoritaire. Je découvris qu'elle pouvait être tendre et drôle. Ainsi, une complicité s'installa entre nous, puis une douce amitié. Elle m'encourageait en m'assurant qu'avec de la persévérance j'y arriverais aussi bien que les autres. Elle savait aussi me réconforter d'un sourire ou d'une caresse lorsque la fatigue me terrassait. Elle prit son rôle très au sérieux et grâce à elle, moi qui étais si timide, je réussis à jouer parfaitement bien lors de la représentation de la pièce devant le roi. Je crois qu'elle fut aussi fière de moi que si elle avait été ma mère.

Rien ne semblait pouvoir détruire notre amitié.

Jamais je n'aurais pu imaginer ce qui allait se passer !

CHAPITRE 2

Gertrude

Tout à coup, Mme de Crécy fut devant moi.

— Crémainville, ouvrez votre main ! aboya-t-elle.

Je sursautai. J'essayai de garder mon calme alors que mon cœur s'affolait dans ma poitrine. Nous étions découvertes. J'hésitai quelques secondes, en vue de gagner du temps, puis j'ouvris lentement la main. Elle était vide, je venais juste de glisser mon message à Anne qui s'était éloignée.

Furieuse de s'être trompée, Mme de Crécy se tourna vers Isabeau :

— Marsanne, ouvrez votre main !

Isabeau pâlit et s'exécuta.

Que l'on pût soupçonner la sage Isabeau me fit bouillir les sangs, mais j'étais si perturbée que je ne pipais mot.

Le visage de notre maîtresse vira au rouge. En trois enjambées, elle rejoignit Anne, lui attrapa le bras et vociféra :

— Alors, c'est vous la coupable, Castillon ! Ouvrez la main !

Ma pauvre Anne était aussi pâle qu'une morte et je lus l'affolement dans son regard. Je serrai les poings. J'aurais voulu bousculer cette femme au cœur de pierre et prendre Anne dans mes bras. Je ne bougeais pas, implorant le ciel de venir à notre secours. Mon amie ouvrit la main, elle était vide.

Un soupir m'échappa. Quel était donc ce miracle ? Où était donc passé mon billet ? Anne avait-elle eu le temps de le cacher dans son corsage, sous son jupon, ou l'avait-elle mangé ? J'admirai sa présence d'esprit qui nous sauvait.

Las, Mme de Crécy ne fut pas dupe, et au comble de la colère, perdant toute retenue, elle tempêta :

— Croyez-vous que vous allez me berner de la sorte ! Voici plusieurs semaines que je vous surveille. Je sais que vous échangez des billets avec Crémainville.

Dans la cour, les jeux, les discussions s'étaient arrêtés pour suivre notre altercation complètement incongrue dans un lieu de calme et de prière.

— Mais, madame... je... bredouilla Anne en me lançant un regard éperdu.

— Taisez-vous ! Suivez-moi dans mon bureau ! Il est inutile de donner aux autres le triste spectacle de votre désobéissance.

C'en était trop ! Je n'allais pas laisser ma douce Anne aux mains de ce tortionnaire. Je m'interposai :

— Anne n'est point coupable ! Je suis la seule responsable.

Un air de triomphe s'afficha sur le visage de Mme de Crécy :

— Ah, enfin, vous avouez ! Venez, nous allons régler cette affaire.

Nous suivîmes Mme de Crécy. Anne avait du mal à marcher tant elle était affectée. Sans réfléchir, je lui saisis la main et la serrai pour lui transmettre toute mon affection et mon courage. Elle ouvrit légèrement la bouche et je vis les résidus du papier qu'elle n'avait pas encore complètement avalés. Je lui souris. Notre lien n'avait jamais été aussi fort. Je me jurais de la sauver envers et contre tout. Mme de Crécy qui marchait devant nous ne vit pas notre geste, et la tromper ainsi me remplit d'orgueil. J'allais tout faire pour déjouer les plans machiavéliques de cette méchante femme.

Elle referma derrière nous les portes de son bureau, une petite pièce ne comportant qu'une table, une chaise et un crucifix, et dit à Anne d'un ton sec :

— Donnez-moi ce billet qui doit être caché sur vous.

— Je regrette, madame, mais je n'ai point de billet, répondit mon amie.

— Ne m'obligez point à vous faire déshabiller !

— Je vous assure, madame, que je n'ai point de billet.

— Vous l'aurez voulu ! siffla Mme de Crécy entre ses dents.

Elle ouvrit la porte et appela une novice :

— Je vous confie Mlle de Castillon, fouillez-la.

Anne suivit la novice tête basse. J'aurais voulu lui dire qu'elle n'avait pas à avoir honte ou peur. En fait, j'aurais voulu prendre sa place pour subir l'humiliation de cette fouille. Dès qu'elle eut quitté la pièce, je lançai à Mme de Crécy un regard haineux qu'elle soutint.

— La désobéissance est un grave péché, lâcha-t-elle.

Quelques minutes plus tard, mon amie revint dans la pièce. Ses mains tremblaient et des larmes contenues brillaient à ses paupières.

— Je n'ai rien trouvé, madame, annonça la novice.

Mme de Crécy pinça les lèvres et tapa du plat de la main sur son bureau.

— Je veux retirer le péché de vos âmes. Je veux que vous soyez pures... que vous soyez les colombes qui plaisent à notre roi. C'est le rôle que l'on m'a confié.

— Nous le sommes ! assurai-je.

— Taisez-vous, Crémainville ! Vous êtes Satan en personne !

Ne sachant comment me défendre de pareilles horreurs, je me tus.

— Nous allons soulever vos matelas, les déchirer s'il le faut, car je suis certaine que c'est là que vous cachez vos messages impudiques !

Elle fit signe à la novice, qui sortit pour accomplir cette abominable mission. J'avais quant à moi détruit les billets. Mais Anne pâlit. Je compris qu'elle n'avait pas agi de même. Je ne lui en voulus point. C'était la preuve qu'elle avait besoin de relire parfois mes messages d'amitié et cela m'émut.

— Prions pour votre salut, nous ordonna Mme de Crécy.

Elle s'agenouilla sur le sol devant le crucifix fiché dans le mur. Nous nous agenouillâmes derrière elle. Anne se plongea aussitôt dans la prière. La chère âme devait supplier le ciel de lui venir en aide. Il régnait une telle tension nerveuse dans l'air que je ne trouvai pas le chemin de la prière. En moi, il y avait trop de colère, d'angoisse, d'incompréhension, de révolte. Je parvins simplement à demander à Dieu : « Pourquoi ? Pourquoi tant d'acharnement ? »

J'ignore combien de temps nous demeurâmes ainsi, mais lorsque la porte s'ouvrit sur la novice, mes genoux étaient douloureux. Sans un mot, elle tendit une liasse de billets à Mme de Crécy qui les brandit comme un trophée.

— Voilà les preuves de votre culpabilité !

Anne pâlit.

Cette découverte ne suffit pas à Mme de Crécy, elle commença à lire à haute voix nos pauvres messages en prenant un ton méprisant. Et pourtant, qu'y avait-il de si répréhensible ?

— « Je vous ai vue tantôt, vous aviez l'air bien triste », « Votre souris[1] ce jour d'hui a illuminé ma journée », « Je n'ai ouï que votre si douce voix à l'office chanté de ce matin ».

Soudainement, Anne s'effondra sans un cri, presque sans un bruit, sur le sol.

— Anne ! criai-je en me baissant pour la secourir.

— Ne la touchez pas ! m'arrêta Mme de Crécy. La perte de connaissance de Mlle de Castillon est l'aveu que j'attendais.

Ainsi, elle avait fait exprès de pousser ma pauvre amie à bout en espérant qu'elle se trahisse. À mon tour, je réprimais un haut-le-cœur et bandais mes forces afin de ne point lui donner le plaisir de me voir faiblir.

1. Sourire.

— Quant à vous, vous passerez la journée en prière dans une cellule[1]. Dès le retour de Mme de Maintenon, je lui ferai part de votre ignominieuse action et elle prendra la décision qui s'impose.

Elle me conduisit dans une cellule et en ferma la porte à clef.

Je ne vis personne de la journée et les heures qui s'égrainaient me parurent interminables.

Je m'inquiétais pour Anne. Comment allait-elle ? Était-elle, elle aussi, à l'isolement ? Comment, elle, si fragile, si pure, allait-elle supporter cette terrible situation ? Je m'en voulais d'être l'instrument de ses souffrances. Si elle était chassée de Saint-Cyr, que deviendrait-elle ? Elle n'avait point de famille et, d'après ce qu'elle m'avait dit de son oncle, il ne la recueillerait pas, trop heureux qu'il était de s'être approprié l'héritage de ses parents. Alors comment subviendrait-elle à ses besoins ? Elle serait livrée à elle-même, pauvre et innocente dans une société dont elle ignorait les bassesses. Cette vision m'était intolérable.

Le mieux serait sans doute que nous partions toutes les deux. Pour aller où ? Pour faire quoi ? Pour vivre comment ? Sombrer ensemble dans la misère, était-ce concevable ?

1. Il s'agit d'une petite chambre attribuée aux religieuses et qui a pour tout mobilier un lit étroit et un crucifix au mur.

Je passais la plus sombre journée de ma vie, torturée par les remords et l'angoisse.

La porte s'ouvrit alors que la nuit était déjà tombée et que, allongée sur l'étroite couchette, je commençais à m'assoupir, vaincue par la fatigue. Je me levai d'un bond, prête à affronter Mme de Crécy. Ce n'était point elle, mais une novice qui m'annonça :

— Vous pouvez rejoindre votre dortoir.

CHAPITRE

2 BIS

Anne

Pour sauver Gertrude de ce mauvais pas, j'avais porté discrètement le message à ma bouche. Après l'avoir bien humecté de salive et l'avoir longtemps mâché, je réussis à l'avaler. J'espérais que Mme de Crécy en resterait là. Mais c'est une mauvaise femme. Parmi toutes les maîtresses de Saint-Cyr, c'est la seule qui n'est pas aimée. Trop cassante, trop rigoureuse sur le règlement. Elle n'a pas une once de tendresse pour aucune d'entre nous. Mlle du Pérou ne lui ressemble pas, elle est douce et attentive.

Quand Mme de Crécy nous ordonna de la suivre, je me promis d'être forte afin que Gertrude soit fière de moi. Mais lorsque la maîtresse des bleues lut d'une voix moqueuse les billets que j'avais eu l'imprudence de cacher sous mon matelas, et émit l'idée que mes relations avec Gertrude étaient impures, la honte me submergea et je tombai privée d'esprit sur le sol.

À l'infirmerie, j'ouvris les yeux sur le visage bienveillant de la sœur infirmière. Pendant une seconde, je crus que j'étais là pour une quelconque fièvre, puis tout me revint en mémoire et j'éclatai en sanglots.

— Calmez-vous, mon enfant, vous n'avez rien de grave. À votre âge ces sortes d'étourdissements sont fréquents, c'est le sang qui travaille.

Elle n'était point au courant des faits qu'on me reprochait. C'était mieux ainsi.

Je voulus repartir aussitôt afin de savoir au plus vite ce qu'il était advenu de Gertrude. Mais l'infirmière m'obligea à demeurer allongée quelques heures. Je ne me reposai point : ne point avoir de nouvelles de mon amie m'oppressait trop. Je souhaitais que la cruelle Mme de Crécy ne l'ait pas chassée de Saint-Cyr sur-le-champ. Je ne l'aurais pas supporté. J'avais à présent besoin de l'amitié de Gertrude comme une plante a besoin du soleil pour vivre.

CHAPITRE

3

Gertrude

Le règlement se durcit à mon encontre. Mme de Crécy était constamment derrière moi, me reprenant sans cesse pour des broutilles :

— Crémainville, ne tirez pas si fort sur votre fil, vous allez le rompre ! Crémainville appliquez-vous à l'écriture ! Crémainville, ne bayez pas aux corneilles !

Et lorsque je croisais son regard, j'y lisais un tel mépris que j'en étais glacée.

Aux récréations, je devais rester debout à côté d'elle, mon livre de prières ouvert.

La vie me devint insupportable et je ne voyais pas comment elle pourrait reprendre un cours normal tant que Mme de Crécy serait ma maîtresse.

Après quelques jours épuisants de révolte, je choisis le parti de la docilité afin de laisser croire à Mme de Crécy que je m'amendais. Elle ne parut même pas remarquer mes efforts et se montra toujours dure et exigeante.

J'étais désespérée.

Lorsqu'une épidémie d'amygdalite aiguë se déclara et que de nombreuses fillettes de la classe rouge s'alitèrent, je me proposai pour aider les infirmières. C'était contraindre ma nature, car les odeurs de l'infirmerie m'ont toujours soulevé l'estomac. Mais je voulais ainsi inciter Mme de Crécy à la clémence.

Isabeau qui m'accompagnait était, je l'avoue, plus empressée à s'occuper des petites malades.

J'écoutais avec un vif intérêt les explications de Mme d'Hozier, l'apothicairesse[1]. Elle connaissait toutes les plantes qui soignent et m'enseigna comment fabriquer quelques décoctions, tisanes, emplâtres. Elle m'apprit que certaines plantes employées en très faible quantité soignent certains maux, alors que si elles sont plus concentrées, elles tuent. Tel est le cas de la ciguë qui en très faible quantité supprime les hallucinations, mais plus fortement dosée, entraîne de graves troubles et parfois la mort. C'était passionnant.

1. Religieuse s'occupant de l'apothicairerie (pharmacie).

Mme d'Hozier venait d'extraire, d'un sachet de toile, une minuscule pincée de ciguë lorsque la porte s'ouvrit sur une novice portant une fillette dans ses bras.

— Seigneur, encore une ! s'exclama l'apothicairesse en se précipitant pour diriger la novice vers un lit inoccupé.

Au même moment, Isabeau poussa un cri :

— Victoire !

Tout alla très vite.

Le cri de détresse d'Isabeau me perturba, et, sans y réfléchir, je glissai le sachet sous mon jupon et je courus vers elle.

Maintenant encore, je ne m'explique pas ce geste.

Mme d'Hozier prépara l'esprit de vitriol et conseilla à Victoire brûlante de fièvre :

— Il faut vous gargariser avec ce breuvage. Son acidité percera l'abcès qui vous empêche de respirer. Il ne faut point l'avaler, ce serait dangereux. Le produit doit descendre un peu dans votre gorge, puis vous devez le cracher dans la bassine.

La manœuvre était délicate et cela angoissait terriblement Isabeau. Je lui posai une main compatissante sur le bras et j'encourageai Victoire. Elle toussa, s'étouffa, cracha, pleura sans réussir.

Isabeau, blanche de peur, ne savait plus comment aider sa sœur. Calmement, je conseillai Victoire.

J'approchai le gobelet de ses lèvres. Elle en but une gorgée, réussit à se gargariser, rougit, cracha et hurla de douleur. Je souhaitais qu'elle ait gardé le liquide suffisamment longtemps contre l'abcès.

Quelques instants plus tard, Isabeau et moi regagnions notre classe et j'usai de toute ma tendresse pour la réconforter.

Au matin, elle fut autorisée à se rendre à l'infirmerie et revint rayonnante : Victoire était sauvée ! Nous nous en réjouîmes avec elle.

L'après-dîner, Isabeau et moi repartîmes pour l'infirmerie. L'épidémie décroissait et il y avait un peu moins de petites malades. De temps en temps, ma main frôlait ma poche et un malaise s'emparait de moi. Que devais-je faire ?

Tout à coup, à l'heure de la récréation, alors qu'Isabeau était allée respirer quelques minutes dehors, Mme de Crécy pénétra dans l'infirmerie. Je crus que, le cœur soudain attendri par la détresse de nos petites malades, elle venait s'enquérir de leur santé.

Elle traversa le dortoir et apostropha une jeune infirmière :

— Pouvez-vous demander à Mme d'Hozier qu'elle me prépare une infusion pour ce soir. J'ai... des flux de ventre très ennuyeux.

Puis elle sortit, non sans m'avoir foudroyée d'un regard peu amène.

La jeune infirmière informa Mme d'Hozier de la requête de notre maîtresse et je fis mine de m'intéresser à la confection du breuvage.

— Voyez, me dit l'apothicairesse, je mets une pincée de camomille, une de sauge, une de thym, que je vais laisser macérer dans l'eau bouillante. Après quoi, je filtrerai et je sucrerai d'une cuillerée de miel. C'est très efficace.

Dans ma tête, il y avait un tel charivari que les mots qu'elle prononçait me parvenaient assourdis. « C'est le moment, c'est le moment », me répétais-je. Il suffisait que Mme d'Hozier se détourne un instant pour que je laisse tomber une pincée de ciguë dans l'eau. Ma main était crispée dans ma poche.

Je me posais cet ultimatum : « Si Mme d'Hozier s'éloigne, c'est que Dieu aura choisi de m'aider. Si elle ne bouge pas, j'abandonnerai mon projet pour toujours. »

Soudain, une jeune novice entra dans l'apothicairerie et annonça :

— Madame, on nous livre la poudre de vipère, les escargots et les écrevisses que vous aviez commandés.

— J'arrive. Il faut que je vérifie que tout est de bonne qualité, répondit l'apothicairesse.

Elle sortit.

Dans la pièce, il restait une jeune novice qui rangeait des fioles sur une étagère et une autre qui enfermait des plantes séchées dans des sachets de toile. Elles étaient fort préoccupées par leur tâche. Je sortis une pincée de ciguë de ma poche et je la laissai tomber dans la tisane.

CHAPITRE 3 BIS

Anne

Toujours rien.

Mme de Maintenon n'est pas venue dans notre maison depuis plus de huit jours.

Est-ce bon ou mauvais signe ?

Cette attente me ronge.

Rien n'est plus terrible que cette incertitude. Il me semble que lorsque Gertrude aura expliqué la situation à Mme de Maintenon, elle fera preuve de clémence. Il ne peut en être autrement. C'est elle qui a fondé cette maison pour que les demoiselles nobles et pauvres aient une bonne éducation : elle est donc charitable. Et notre faute n'est tout de même pas si grande que nous méritions d'être renvoyées de cette maison. J'accepterai sans rechigner une punition puisque nous avons enfreint le règlement, mais pas d'être séparée de Gertrude.

J'ai appris que Gertrude s'était portée volontaire pour soigner les malades, cela ne m'étonne pas d'elle. Sous des abords rudes elle a un bon fond. Elle essaie sans doute d'attendrir Mme de Crécy. Pourvu qu'elle y réussisse ! Pour ma part, je continue à être douce, soumise et pieuse. Que pourrais-je faire de plus ?

Il me semble qu'à la longue, si nous ne nous faisons plus remarquer, on nous oubliera et que cette altercation ne sera plus qu'un mauvais souvenir.

Je verrai Gertrude de loin, nous n'échangerons plus de billets, nous ne nous parlerons plus, mais notre amitié perdurera malgré tout parce qu'elle est indestructible.

CHAPITRE

4

Gertrude

Au matin, lorsque nous pénétrâmes dans notre classe, Mme de Crécy n'y était point.

Le rouge me monta aussitôt aux joues et mon pouls s'accéléra. Étais-je la cause de son absence ? Était-elle souffrante ? Morte peut-être ? Ce que je n'avais point compris en laissant tomber la ciguë dans la tisane s'imposa avec brutalité à mon esprit : j'étais devenue une meurtrière.

L'air me manqua, mais, par un effort surhumain, je ne laissai rien paraître.

Croyant que Mme de Crécy était victime d'amygdalite aiguë dont avaient souffert beaucoup de nos compagnes, Isabeau en demanda confirmation à notre chef de bande, qui lui répondit :

— Non, point, Mme de Crécy a des flux de ventre.

Je soupirai de soulagement. C'était pour atténuer ce mal qu'elle avait voulu une tisane. Ma pincée de ciguë n'était pour rien dans ses souffrances.

Le lendemain, Mme de Crécy ne parut toujours pas et Mme de Clérambault la remplaça. Nous en étions toutes satisfaites, car personne n'aimait Mme de Crécy. Cependant, par politesse, Olympe s'informa de la santé de notre maîtresse.

— Le médecin de Mme de Maintenon a été appelé à son chevet. Nous devons prier pour elle.

— Est-ce grave ?

— Oui.

À nouveau, je m'empourprai.

Durant quatre jours, Mme de Clérambault dirigea notre classe. Nous retrouvâmes le plaisir de lire un peu de poésie, d'entendre quelques leçons d'histoire et même celui de discuter de divers sujets autres que ceux imposés par Mme de Crécy. Mme de Clérambault était moins pointilleuse sur le règlement et quelques rires fusèrent même tandis que nous brodions. Nous avions toutes l'impression de goûter à nouveau le bonheur simple d'autrefois.

Quant à moi, j'avais la cervelle si troublée que je ne savais plus que penser : Où étaient le bien et le mal ? Haïssais-je Mme de Crécy ou la plaignais-je ?

Souhaitais-je sa mort ou seulement la faire souffrir comme elle nous faisait souffrir ?

Pendant les récréations, Mme de Clérambault ne faisait la chasse ni aux amitiés ni aux bavardages. Mais ma culpabilité pesait si lourdement sur ma conscience que je n'osais plus approcher Anne.

Quatre jours plus tard, nos maîtresses nous ordonnèrent de nous ranger dans la cour. Mme de Maintenon allait nous parler.

Un terrible pressentiment me fit trembler.

Et lorsque Mme de Maintenon nous informa que Mme de Crécy avait été empoisonnée, je me maîtrisai le mieux possible. Aucun muscle de mon visage ne bougea tandis que des murmures d'effroi et quelques cris s'échappèrent des poitrines de mes compagnes. Pourtant, il me parut bien que le ciel s'effondrait, que j'allais être désignée à l'instant par le doigt de Dieu et que ma vie même s'arrêtait. Je ne sais comment je réussis à rester impassible. Quand Mme de Maintenon passa dans les rangs, dardant sur chacune de nous un regard perçant, je restai de marbre. Mais ma tension nerveuse était telle que mes os me faisaient mal, mes oreilles bourdonnaient et ma gorge était en feu.

— J'attends de la ou des coupable(s) qu'elle(s) se dénonce(nt) rapidement. Je vous laisse imaginer la honte qui retomberait sur cette maison si la police du roi était obligée de venir y mener une enquête. Outre que Sa Majesté serait cruellement offensée, je n'y survivrais pas, reprit Mme de Maintenon.

La police du roi ! Je n'avais pas pensé qu'elle pourrait intervenir ! J'étais donc bien une criminelle... comme la Voisin[1].

J'avais entendu mes parents parler de cette ténébreuse affaire alors que je n'étais qu'une fillette. Le récit des forfaits de cette empoisonneuse et de sa fin sinistre m'avait fort impressionnée. Lorsque mon père avait annoncé qu'elle avait été brûlée vive en place de Grève, je m'étais blottie contre ma mère, qui m'avait rassurée :

— Cette sorcière n'a que ce qu'elle mérite. Sa mort servira d'exemple et empêchera d'autres forfaits aussi odieux !

Et voilà que c'était moi qui... Seigneur ! Pourquoi m'avoir soumise à cette tentation ? Pourquoi m'avoir envoyé cette épreuve ? Et si moi aussi j'allais être condamnée à mort ? Après tout, c'est ce que je méritais. Quelle peine j'allais causer à ma tendre mère !

Des larmes de désespoir me picotaient les yeux. Je les refoulais avec rage.

Il était trop tard pour les regrets. Je devais me montrer forte.

1. Catherine Deshayes, veuve Monvoisin, dite « la Voisin » (1640-1680).

La voix de Mme de Maintenon me tira de mes pensées morbides :

— Si les coupables n'ont pas le courage de se nommer, je somme celles qui sauraient quelque chose de les dénoncer ! Protéger une criminelle, c'est se rendre complice de son crime !

L'air était lourd, irrespirable, et j'avais l'affreuse impression que tout le monde savait que j'étais la coupable. J'évitais de regarder dans la direction d'Anne. Si nos regards se croisaient, j'étais certaine qu'elle y lirait ma faute. J'avais agi pour sauver notre amitié et il m'apparut soudainement que j'avais peut-être définitivement perdu l'estime d'Anne en attentant à la vie de Mme de Crécy. C'était intolérable ! Comment n'y avais-je pas pensé avant ? Pourquoi m'étais-je laissée aller à cette folie ? Il fallait que je sois bien malheureuse pour avoir oublié combien chaque vie humaine est précieuse.

— Notre maison doit être lavée de toute souillure et retrouver sa pureté, sinon Dieu se vengera sur notre communauté ! poursuivit Mme de Maintenon.

Brusquement, Isabeau, debout à mon côté, s'effondra sur le sol.

Jeanne poussa un cri strident, Olympe se précipita pour secourir notre amie. J'aurais dû moi aussi l'aider. Je ne le pus pas. J'étais statufiée.

CHAPITRE

4 BIS

Anne

Ce que nous apprit Mme de Maintenon me glaça d'horreur.

Mme de Crécy empoisonnée ?

Aussitôt, je cherchai le regard de Gertrude pour m'assurer que ce n'était point elle la coupable. Je ne le trouvai pas. J'essayai d'attirer son attention en soupirant un peu fort, mais elle ne broncha pas. Elle paraissait perdue dans ses pensées. Cela m'intrigua.

Je me souvenais de son attitude provocante lorsque Mme de Crécy nous avait interrogées et je connaissais son tempérament de feu...

Oh, Seigneur, pourvu qu'elle ne se soit pas laissée aller à commettre cette folie !

Non, ce n'était pas possible.

Certes, elle avait du caractère, mais elle était si douce avec moi et si protectrice aussi. Grâce à elle, j'avais retrouvé un peu de la tendresse et de la prévenance d'une mère ou d'une sœur aînée. Je ne l'imaginais pas une seconde en criminelle.

Lorsque Isabeau tomba en pâmoison, je ne sus plus que penser.

Était-ce Isabeau la coupable ? C'était assez improbable. Elle était la plus pieuse et la plus sage d'entre nous.

Alors pourquoi ce malaise ?

Nous aurions été soulagées si nous avions pu échanger nos idées, parler de nos doutes, de nos craintes. Mais le règlement nous imposait le silence, et mille pensées contradictoires et obsédantes tournèrent dans ma tête et firent monter ma fièvre. Tout était ma faute. Ma faiblesse avait attiré la force de Gertrude, et c'est pour m'aider, me protéger qu'elle était devenue mon amie. Sans moi, elle aurait continué une vie calme à Saint-Cyr.

La minute d'après, je me persuadais :

« Tout l'accable, certes, mais justement la véritable meurtrière a choisi ce moment-là pour agir parce qu'elle savait que les soupçons pèseraient sur Gertrude... Or Gertrude est innocente. Il ne peut pas en être autrement. »

À qui confier mon tourment ?

CHAPITRE

5

Gertrude

Nous ne vîmes pas Isabeau de quatre jours.

Nous nous en inquiétâmes auprès de Mme de Clérambault, qui nous assura :

— Isabeau est à l'isolement. Elle réfléchit aux conséquences de ses actes.

— Est-elle la coupable ? s'était alors étonnée Jeanne.

— Tout la désigne.

J'avais envie de crier qu'elle était innocente, que j'étais la seule responsable, mais alors que j'allais me dénoncer, le doux visage d'Anne s'imposa à moi et je me tus.

Je ne dormis pas de quatre nuits et toute nourriture me répugnait.

Tantôt je me persuadais qu'Isabeau parviendrait à se disculper sans que la coupable soit découverte, tantôt l'angoisse qu'elle soit condamnée à ma place me faisait naître des sueurs froides dans le cou.

Que devais-je faire ?

Dans la cour, les jeux, les rires, les discussions n'étaient plus de mise. Une chape de plomb recouvrait la maison. Nous marchions par deux dans les allées pour nous dégourdir les jambes, encadrées par nos maîtresses et des novices, sans échanger un mot.

L'après-dîner du cinquième jour, alors que notre classe croisait la classe jaune qui revenait de récréation, je parvins à toucher la main d'Anne, mais au lieu d'accentuer le contact comme elle le faisait auparavant, elle retira vitement sa main. Je compris qu'elle avait découvert mon terrible secret. Ainsi, en laissant les soupçons planer sur Isabeau, je perdais la seule personne qui m'était chère... et du même coup, je perdais mon honneur. C'en était trop.

Dès que nous pénétrâmes dans la classe, je dis à Mme de Clérambault :

— J'ai une révélation à vous faire, madame.

Elle ordonna alors à mes compagnes :

— Prenez vos ouvrages, mesdemoiselles. Jeanne, vous lirez le texte saint posé sur ma table. Je sors un instant avec votre camarade.

Elle entoura mes épaules de son bras et ce geste me fut doux.

— Parlez, mon enfant, m'encouragea-t-elle dès que nous fûmes dans le grand vestibule.

Je ne savais comment m'y prendre pour avouer mon crime. Mille phrases se bousculèrent dans mon cerveau. Après un silence qui me parut interminable, je lâchai :

— C'est moi.

Elle ne m'adressa aucun reproche, elle ne me fit pas la morale, elle ne poussa aucun cri horrifié. Elle me dit simplement :

— Venez, allons prévenir Mme de Maintenon.

Je la suivis jusqu'à l'appartement de notre bienfaitrice situé au rez-de-chaussée.

Mme de Maintenon, une mante sur sa robe de velours sombre, s'apprêtait à regagner Versailles et nous reçut sur le pas de sa porte.

— Madame, lui dit Mme de Clérambault, Mlle de Crémainville vient de reconnaître son crime.

— Enfin ! Vous avez bien tardé, mademoiselle, à avouer votre forfait. Avoir laissé tout ce temps les soupçons peser sur votre camarade n'est guère charitable.

— Je regrette et...

D'un revers de main agacé, Mme de Maintenon coupa court à mes excuses et s'adressa à Mme de Clérambault :

— Je suis en retard. Placez cette demoiselle à l'isolement dans une cellule. Je l'entendrai demain matin.

Je passais une nouvelle nuit aussi longue que les précédentes à me poser mille questions, mais je savais que j'avais pris la bonne décision. La seule qui me réhabiliterait aux yeux de mes compagnes. J'étais convaincue que pas une d'entre elles ne croyait à la culpabilité d'Isabeau et que toutes attendaient que la coupable se désigne. Dès que ce serait fait, Saint-Cyr retrouverait sa sérénité et le mal-être qui s'était installé depuis quelques jours se dissiperait.

Au lever du soleil, j'étais sereine. Et c'est sans trembler que je suivis la novice et Mme de Clérambault jusqu'au bureau de la mère supérieure.

En pénétrant dans la pièce, je vis Mlle de Loubert derrière son bureau, Mme de Maintenon et Mme de Crécy assises sur des chaises, et Isabeau debout, tête basse, les mains derrière le dos. Lorsqu'elle m'aperçut, la pâleur de son visage s'accentua.

— Eh bien, commença Mme de Maintenon, nous vous écoutons, mademoiselle de Crémainville.

Voilà, c'était le moment.

— Isabeau est innocente.

Puis je me tournai vers mon amie :

— Pardonnez-moi, j'ai manqué de courage.

Isabeau était une belle âme. Elle m'accorda un petit souris qui me prouvait qu'elle ne me tenait pas rigueur de ma couardise. Cela me donna le courage d'avouer que j'avais versé la ciguë dans le breuvage de Mme de Crécy parce que je lui en voulais d'avoir détruit les billets que j'avais échangés avec Anne.

— Seul l'amour de Dieu doit nous habiter ! s'exclama Mme de Crécy.

J'aurais voulu crier qu'aimer son prochain était aussi important qu'aimer Dieu, et que si elle nous avait un tout petit peu aimées, elle n'aurait pas fait un scandale pour quelques mots tendres écrits sur des billets. Mais je me tus pour ne pas envenimer la situation.

Je tentai d'expliquer comment j'en étais arrivée à cette extrémité, mais je savais mon geste inexcusable.

— Nous avons décidé d'une punition exemplaire, annonça Mme de Maintenon. Vous serez chassée de cette maison et enfermée aux Madelonnettes, la prison des filles perdues, en espérant qu'à force de repentance Dieu vous pardonnera votre faute.

Je serrai les mâchoires mais je ne baissai pas la tête pour que Mme de Crécy n'ait pas la satisfaction de me voir faiblir. Mme de Maintenon n'avait pas mentionné Anne. Mais j'avais besoin de connaître le sort qui lui était réservé, et je demandai d'une voix dont je m'efforçais de contenir le tremblement :

— Et Anne ?

— Mlle de Castillon sera quinze jours au pain sec et à l'eau. Ce sera sa seule punition, car c'est sous votre mauvaise influence qu'elle a désobéi.

Un bienheureux apaisement m'envahit.

— Demain matin, un échafaud sera dressé dans la cour. Vous y monterez en chemise, et votre sentence sera lue et exécutée devant toutes. Vous quitterez la maison sur l'heure.

Je l'entendis à peine. Une seule chose m'importait. Anne n'était point chassée de Saint-Cyr. Le châtiment me serait indifférent puisque je la savais à l'abri de la misère.

La novice me raccompagna dans la même cellule.

— Je vous apporterai du pain et de l'eau.

— Merci. Je n'ai pas faim.

— Il faudra essayer de manger et de dormir. Demain, vous aurez besoin de forces.

La journée s'étira lentement. J'imaginais le retour d'Isabeau dans la classe bleue et le récit qu'elle ferait à nos amies, Jeanne, Olympe et Henriette. J'essayais surtout de deviner les sentiments de ma chère Anne, et là, je m'y perdais. Comment avait-elle réagi à l'annonce de ma culpabilité ? J'aurais tant voulu lui parler, lui expliquer, implorer son pardon, la supplier de me conserver son amitié...

Une unique pensée me réconfortait : j'allais expier ma faute, ensuite je recommencerais une nouvelle vie. Ce passage était obligatoire.

Je me pelotonnai sur la couche étroite où je finis par m'endormir, épuisée.

Dès l'aurore, la même novice me réveilla en tirant le verrou de la porte. Elle m'apporta une cuvette d'eau. Je me lavai le visage et les mains, puis elle m'aida à me coiffer.

— Ce sera une dure épreuve, me dit-elle avec compassion.

— Je n'ai pas peur.

Elle me conduisit à la chapelle avant l'arrivée des pensionnaires et nous nous plaçâmes au milieu des novices. J'assistai à l'entrée de mes camarades, cachée parmi les jeunes religieuses. Je dressais pourtant la tête afin d'apercevoir Anne. Je ne vis que le haut de son bonnet et une boucle de cheveux qui s'en échappait.

Après l'office, le prêtre qui avait célébré la messe vint me chercher pour m'entendre en confession. Lasse et résignée, je lui exposai ma faute le plus brièvement possible. Cela lui suffit. Il m'exhorta à consacrer ma vie à la prière afin d'espérer le pardon de mon acte.

Mme de Clérambault vint ensuite me chercher.

— Vous êtes prête, mon enfant ? me demanda-t-elle.

Il y avait beaucoup de douceur dans sa voix. Si elle avait été notre maîtresse, rien de tout cela n'aurait eu lieu.

— Oui, madame, répondis-je.

Lorsque nous arrivâmes dans la cour fermée derrière la chapelle, un vent violent fit s'envoler mon jupon et menaça d'emporter ma coiffe, que je retins de la main. Je m'arrêtai un instant. Toutes les demoiselles de la maison étaient rangées par classes. Je levai les yeux vers le fond de la cour et je le vis : l'échafaud. Je frissonnai. Mme de Maintenon, Mme de Crécy et toutes les maîtresses étaient alignées devant l'escalier. Encadrée par deux novices, j'avançai jusqu'à Mme de Maintenon qui me fit signe de gravir les degrés conduisant à la plate-forme de bois. Le silence, seulement troublé par le sifflement du vent, m'impressionna. Je fixais le clocher de l'église par crainte de perdre mon courage à la vue du visage chagrin d'Anne.

— Gertrude de Crémainville, lança Mme de Maintenon d'une voix ferme, vous avez avoué, sans contrainte aucune, avoir voulu empoisonner votre maîtresse. Pour ce crime, vous êtes condamnée à être fouettée. Après quoi, vous quitterez cette maison définitivement.

Un cri retentit du côté de la classe rouge.

Je bandais toutes mes forces pour ne pas flancher.

La plus âgée des dames de Saint-Louis monta à son tour sur la plate-forme et arracha un à un les rubans bleus de ma robe, puis elle me dévêtit et me laissa en chemise. C'était une première humiliation. Une novice m'ôta ensuite mon bonnet et en quelques coups de ciseau me coupa les cheveux comme si j'allais être mise à mort. Le bruit des ciseaux et leur contact froid sur ma nuque me firent frissonner. Cette nouvelle humiliation me coûta, car j'étais assez fière de ma chevelure. Je me surpris même à penser qu'Anne devait souffrir pour moi ; plusieurs fois elle m'avait assuré : « Jamais je n'ai vu plus beaux cheveux que les vôtres. »

De l'assistance me parvenaient quelques murmures et j'étais certaine que c'étaient des murmures de compassion.

Le premier coup de fouet qui s'abattit sur mon dos me surprit. Je serrai les dents pour qu'aucun cri ne m'échappe. J'en avais trente à supporter. Je les comptai. Dès le cinquième, la douleur fut moins forte, les coups moins cinglants. Je soupçonnais celle qui me fouettait d'adoucir son geste pour m'éviter de trop souffrir. Cette charitable précaution me troubla. J'avais besoin d'expier ma faute dans la douleur afin de faire table rase de cette pénible histoire et de recommencer à vivre normalement.

« 27... 28... 29... 30. »

Je me relevai.

Voilà, c'était terminé.

Je n'avais plus peur, je n'avais plus honte.

Cette fois, je parcourus des yeux le rang des bleus et je croisai le regard compatissant d'Isabeau. Ensuite, je cherchai dans le rang des jaunes le visage d'Anne. Il était noyé de larmes et deux de ses compagnes la soutenaient. Sa détresse me déchira le cœur et je m'en voulus terriblement de lui avoir infligé ce spectacle humiliant. Je lui souris pour lui dire adieu. Elle ébaucha à son tour un souris.

C'est la dernière image que je garde d'elle et de Saint-Cyr, car je fus immédiatement conduite dans une voiture qui attendait à l'arrière de la maison, rideaux de cuir baissés.

CHAPITRE

5 BIS

Anne

Ainsi, Gertrude était bien la coupable. Gertrude, mon amie, ma sœur. Je me persuadais que c'était impossible, que je vivais un cauchemar, et en même temps, je savais que c'était elle. Elle avait agi pour sauver cette merveilleuse amitié qui nous unissait. Je la comprenais et, en même temps, j'étais horrifiée qu'elle soit devenue une meurtrière... Non, pas une meurtrière. Mme de Crécy était vivante ! J'avais si fort prié pour qu'elle ait la vie sauve que Dieu, ému par mon désarroi, avait exaucé mes prières.

Et cet échafaud dressé dans la cour ! Ce jugement devant nous toutes ! Ces cheveux coupés ! Ces coups de fouet ! Quelle humiliation, et quelle souffrance ! Oh, comme j'aurais voulu pouvoir lui parler, la consoler. Non, pas la consoler. Elle avait été si digne. Pas une larme. Elle avait assumé son acte jusqu'au bout et j'étais persuadée que ce courage la conduisait sur la voie du salut.

J'avais été beaucoup moins courageuse qu'elle. J'avais ressenti dans ma propre chair chacun des coups de fouet qu'elle avait reçus, et si je n'avais pas été soutenue par mes deux voisines, je me serais écroulée de désespoir. Je n'avais pu cependant retenir mes larmes.

Lorsque nos regards s'étaient croisés, j'avais essayé de mettre dans le mien toute ma compassion et toute mon amitié, et aussi l'assurance que je ne l'oublierais jamais, qu'elle serait toujours dans mon cœur. Dans ses yeux à elle, j'avais lu le même message.

À présent, allais-je réussir à vivre sans elle ?

CHAPITRE

6

Gertrude

On m'enferma dans une cellule dont la fenêtre était si haute et si étroite que seul un rai de lumière y pénétrait sans que je puisse seulement apercevoir le ciel. Je ne vis personne. Pas même la religieuse qui me glissait, par une trappe pratiquée dans la porte, une cruche d'eau, une miche de pain et un bol de soupe quotidien.

— Afin de vous purifier de tous vos péchés, vous serez à l'isolement pendant un mois, m'avait expliqué la mère supérieure qui dirigeait cette prison pour les femmes.

Je n'avais pas dit un mot. C'était inutile. J'eus d'ailleurs l'effroyable sensation d'être devenue muette et sourde, car aucun bruit ne me parvenait. Je songeais qu'il serait bon de me laisser engourdir par le silence, qu'il finirait par m'anéantir et que je disparaîtrais de cette terre de souffrance. Je n'avais pas réussi à me plier à la règle de Saint-Cyr, comment parviendrais-je à supporter l'enfermement dans une prison ?

Il valait mieux mourir tout de suite.

Je cessais de m'alimenter pour accélérer ma fin.

Et puis, un matin, il y avait trois semaines que j'étais enfermée, les trilles d'un merle, sans doute perché sur le rebord de la fenêtre, me tirèrent de ma torpeur. Je me tordai le cou pour tenter de l'apercevoir, sans y parvenir. Je sifflais pour lui répondre. M'entendit-il ? Je l'ignore, mais il me charma de son chant pendant de longues minutes. Cet oiseau semblait me dire : « La vie est belle ! Reprends courage ! Toi aussi, tu seras libre un jour ! »

Il avait raison.

Je me sentis indigne de m'être laissé envahir par de si sombres pensées. Et je m'en voulus de ma faiblesse. Quoi ! Moi, Gertrude de Crémainville, je n'allais tout de même pas me laisser mourir sans lutter ! Ce merle venait de m'affirmer que dehors la vie m'attendait, il suffisait d'être patiente ! Et tout ce qui m'avait paru insurmontable, quelques heures auparavant, me sembla brusquement possible, il suffisait que je m'y attelle avec courage.

Afin de me prouver ma détermination, je m'éclaircis la gorge et, à mon tour, je me mis à fredonner un des couplets interprétés par les chœurs dans *Esther* :

D'un souffle l'aquilon écarte les nuages
Et chasse au loin la foudre et les orages,
Un roi sage, ennemi du langage menteur,
Écarte d'un regard le perfide imposteur.[1]

Cela me réconforta. Je dévorai avec appétit le pain que j'avais refusé la veille.

Les jours suivants, je m'obligeais à réciter des vers de M. Racine ou de M. de La Fontaine pour entretenir mon cerveau, à exécuter quelques pas de danse pour que mes jambes ne s'amollissent pas trop et à chanter quelques refrains gais.

Enfin, après un mois d'isolement, une sœur vint m'ouvrir la porte.

Elle me conduisit dans une vaste pièce où une cinquantaine de filles de tous âges, assises devant de longues tables, tiraient l'aiguille, tandis qu'une jeune religieuse lisait d'une voix monocorde un passage de la Bible. Quelques demoiselles, heureuses sans doute de la diversion que mon arrivée provoquait, levèrent la tête. Le bruit sec d'un claquoir de bois ramena leur visage triste et résigné au-dessus de leur ouvrage.

1. Racine, *Esther*, acte III, scène 3.

L'une des sœurs qui surveillaient la salle, une fine baguette à la main, s'approcha et demanda mon nom :

— Il s'agit de Gertrude de Crémainville, répondit la sœur qui m'accompagnait. Elle sait lire, écrire et broder.

— Vraiment ?

— Oui. Mais elle doit être traitée comme les autres.

— Certainement.

— Installez-vous en bout de table. Aujourd'hui, vous regarderez les motifs que brodent vos compagnes sur ces nappes d'autel. Ainsi dès demain, vous travaillerez comme elle. Je vous rappelle que le silence est de rigueur. La moindre parole échangée entre vous, et c'est le cachot.

Tout recommençait. Le silence... encore le silence...

Quand donc pourrais-je parler, rire, chanter sans être punie ?

Si Dieu nous avait donné la voix, n'était-ce point pour en faire usage ? Et commettait-on une si grande faute en s'en servant ?

Une fois encore, je serrai les dents pour m'empêcher de m'insurger contre tant d'injustice.

Je pris la place que l'on me désignait et j'essayais de m'intéresser aux motifs dessinés sur la toile fine. Cependant, le visage baissé, je tâchais d'apercevoir les compagnes les plus proches de moi. J'espérais surprendre un souris, une moue espiègle, un clin d'œil... un geste de connivence ou de bienvenue. Absorbées par leur ouvrage, elles ne me prêtèrent aucune attention. Il est vrai que deux sœurs, l'œil aux aguets, circulaient autour des tables pour que le silence règne.

Je soupirai.

La vie valait-elle la peine d'être vécue dans ces circonstances ? N'avais-je point été trop optimiste en quittant mon cachot ?

Soudain, une prisonnière éternua et cinquante voix s'exclamèrent à l'unisson :

— Que Dieu vous bénisse !

Aussitôt, l'air me parut plus léger. La lourde chape de silence venait d'être rompue de la plus étrange façon et personne ne trouva rien à redire. Je souris à ma voisine qui s'enhardit à me chuchoter :

— Je m'appelle Cléonice.

Je levai vers elle un regard surpris. Je n'avais jamais ouï ce prénom.

— Moi, c'est Gertrude.

Ce fut tout. Mais ces paroles échappées me redonnèrent l'espoir.

Ce souffle d'espérance ne dura point.

Je découvris l'existence terne, triste et monotone de la prison.

Nous nous levions tous les matins à cinq heures au son d'une cloche pour assister à l'office. On nous accordait une demi-heure pour nous laver, nous coiffer et revêtir nos jupons rapiécés, nos jupes grises et nos bustiers de toile grossière. Je mettais beaucoup de soin à cacher dans mon bonnet blanc mes cheveux mal coupés. Je n'étais point la seule et toutes celles qui avaient subi l'humiliation de perdre leur parure féminine agissaient de même. De huit heures à une heure de relevée[1], nous étions réparties en divers lieux pour accomplir certaines activités : broderie, couture, copie de textes saints ; d'autres confectionnaient de la charpie pour l'hôpital, étaient employées aux cuisines ou à l'entretien des bâtiments ou du potager inclus à l'intérieur des murailles. Nous ne savions pas à l'avance quelle serait notre occupation de la journée. C'était le seul imprévu de notre morne existence. J'aimais travailler aux cuisines bien que notre participation se résumât à éplucher des légumes ou à plumer et vider des poules réservées à d'autres tables que la nôtre. J'aimais aussi bêcher, sarcler et arroser le petit jardin d'herbes et de simples, domaine de la sœur apothicaire. Elle était gentille, nous apprenant à reconnaître les plantes et nous autorisant parfois à échanger quelques mots.

1. Une heure de l'après-midi.

Après un repas frugal, composé d'un brouet infâme dans lequel nous trempions notre pain, nous retournions au travail. À cinq heures, nous nous rendions à la chapelle pour les confessions, puis nous assistions aux vêpres. De sept à huit heures, nous étions divisées en plusieurs groupes par âges et, je suppose aussi, selon la gravité des actes que nous avions commis, et une religieuse venait nous dispenser une leçon de morale, nous obligeant à réfléchir sur nos méfaits, à nous repentir et à prier. Chaque fois, elle nous décrivait l'enfer avec un luxe de détails abominables qui me glaçaient d'effroi. Elle n'oubliait pourtant point d'ajouter qu'à force de prières, le purgatoire nous serait peut-être ouvert et que nous finirions ainsi d'expier nos fautes pour l'éternité dans un lieu où la souffrance était moindre.

Les premiers temps, cela me tourmenta, mais comme elle rabâchait toujours le même discours, je n'y prêtais plus attention, me contentant d'adopter un air soumis tout en laissant vagabonder mon esprit.

« Un jour, un jour je quitterai ce lieu maudit... Je retrouverai Anne et nous partirons toutes les deux loin, très loin pour oublier. Notre amitié sortira renforcée de cette épreuve et nous ne nous quitterons plus jamais. »

Je crois que j'évitais de sombrer dans la folie grâce à la nuit. La même nuit qu'à Saint-Cyr... La nuit de la liberté retrouvée et de la complicité aussi.

Certes, le dortoir n'était point aussi confortable que celui de Saint-Cyr : point de matelas épais, de draps frais, de couvertures chaudes, de rideaux pour nous isoler. Un châlit de bois, une couverture élimée et sale, des fenêtres hautes et grillagées. Malgré tout, lorsque la surveillante avait regagné son lit au fond du dortoir en emportant la chandelle, nous étions libres ! Libres de parler enfin !

C'est Cléonice qui la première se glissa sous ma couverture et me chuchota à l'oreille :

— J'ai bien vu ton étonnement quand j'ai prononcé mon prénom. Je t'explique : mon père voulait un garçon et avait choisi Cléonte, ma mère, qui souhaitait une fille, avait choisi Bérénice. Pour contenter les deux, on m'appela Cléonice, et ma foi, j'en suis satisfaite : personne n'a le même nom que moi.

— C'est charmant en effet.

— Y a deux ans que je moisis ici... j'ai craché au visage du cabaretier chez qui j'étais domestique. J'ai refusé de coucher avec les clients pour l'enrichir. Et lui, le cochon, il m'a accusée de l'avoir volé. Et toi ?

— Oh, moi, j'étais pensionnaire à la maison royale d'éducation de Saint-Cyr et...

— Mazette[1] ! T'es une demoiselle de qualité, alors...

Elle s'apprêtait à repartir, mais je l'arrêtai :

— Ici, nous sommes toutes à égalité.

Elle réfléchit un instant et souffla :

— P'être ben, mais les gens de la haute, j'les aime pas... y sont pas comme nous.

— Je suis comme toi, et je n'ai eu aucun privilège, sauf celui d'être dans la même prison que toi.

Je sentis qu'elle souriait.

— Qu'as-tu bien pu faire pour te retrouver ici ? me demanda-t-elle.

— Saint-Cyr, c'était déjà une sorte de prison où l'amitié était interdite. Je ne l'ai pas supporté et j'ai voulu me venger d'une religieuse particulièrement odieuse. Je le regrette. Maintenant j'ai perdu mon amie, mon honneur et ma liberté.

— L'honneur, c'est un mot de la noblesse... pour une fille des rues comme moi, cela n'a guère d'importance... mais la liberté... ça me manque cruellement. Si seulement j'savais quand je vais quitter cette prison !

— Moi, je crains bien de devoir y finir ma vie, car je ne compte ni sur la clémence de Mme de Crécy ni sur celle de Mme de Maintenon.

— J'ai ouï dire que parfois Sa Majesté délivre des prisonnières si elles acceptent de s'embarquer

1. Interjection de surprise venant du patois régional.

pour peupler le Nouveau Monde ou les îles des Caraïbes... et... Chut, la surveillante se lève pour sa première ronde. Je regagne mon lit. Fais semblant de dormir si tu veux éviter les problèmes. À demain !

CHAPITRE 6 BIS

Anne

Je pense constamment à Gertrude.

Où est-elle ? Que fait-elle ? Comment supporte-t-elle la prison ?

Oh, j'aurais voulu que nous fussions condamnées toutes les deux. Il n'est pas juste qu'elle soit seule à souffrir alors que nous sommes toutes les deux coupables. Coupables ? Et de quoi, Seigneur ? De nous sentir sœurs, amies ? D'avoir nos cœurs qui battent à l'unisson ? Est-ce vraiment une si grave faute ? Je n'ai nulle part lu dans les Saintes Écritures que l'amitié était un péché.

Maintenant, je perds l'appétit et le sommeil à imaginer le sort de ma pauvre Gertrude. Et avec qui partager ma peine ? Un souris d'encouragement, un geste de compassion de la part des amies de

Gertrude auraient pu m'aider, mais elles quittent toutes notre maison les unes après les autres. Éléonore est partie pour épouser le sieur Von Watzdorf[1] et la chère Isabeau a été nommée gouvernante du fils de la princesse de Condé[2]. Je trouve Olympe un peu hautaine. Elle semble vivre dans un autre monde. J'ai ouï dire qu'elle n'aimait que le théâtre et qu'elle se répétait sans cesse les textes d'*Esther* et d'*Athalie* pour ne point les oublier puisque nous n'avons plus le droit de jouer du théâtre. Aussi, je n'ose quérir son secours.

Heureusement, il y a la douce Jeanne et depuis peu Rosalie de Boulainvilliers. Elle est dans ma classe et nous avons joué toutes les deux dans *Athalie*. Nous nous entendons bien, sauf qu'elle est craintive et qu'elle tremble d'être surprise par la maîtresse et de subir le même sort que Gertrude. Pourtant, à part Mme de Crécy qui est particulièrement sévère, nos maîtresses ferment les yeux sur nos bavardages du soir si nous sommes discrètes.

Mais Rosalie et Jeanne ne remplaceront jamais Gertrude. J'ai l'impression abominable d'être devenue orpheline une seconde fois. J'ai bien peur de ne pouvoir le supporter et malgré la gentillesse de

1. Lire *Eléonore et l'alchimiste.*
2. Lire *Le rêve d'Isabeau.*

Jeanne et les discussions avec Rosalie, je dépéris. Rien ne me rattache à la vie.

Gertrude doit être dans le même état que moi. Elle se laisse peut-être mourir de désespoir. Et si je me laisse mourir aussi, nos âmes se rejoindront pour l'éternité. Cette pensée m'est douce.

CHAPITRE

7

Gertrude

L'information donnée par Cléonice me tourneboula toute la nuit. J'aurais voulu en savoir plus, mais elle avait vitement regagné sa couche, me laissant avec mes interrogations. Pour la première fois depuis longtemps, j'entrevoyais une possible liberté. Enfin ! Plus le carcan de Saint-Cyr, plus les murs de cette prison... l'immensité de l'océan, puis la découverte d'un pays nouveau.

Comment les heureuses élues seraient-elles choisies ? Parmi celles qui avaient commis des délits mineurs ? Dans ce cas, je ne serais pas du voyage. Parmi les plus jeunes ? Il y avait plus de vingt filles qui avaient moins de dix-sept ans ! Parmi celles qui n'avaient plus de famille et qu'aucun parent ne viendrait réclamer ? Je n'en étais point. Ma mère sans doute cherchait un moyen de me faire sortir d'ici. Quant à mon père, il devait l'en dissuader afin que le déshonneur ne l'atteigne point, et j'ignorais, dans ce duel familial, lequel aurait le dernier mot.

Je me perdais en conjectures.

Au fur et à mesure que l'espoir naissait en moi, un désespoir tout aussi grand m'envahissait. Car si j'étais désignée pour quitter la France, cela signifiait que je m'éloignais définitivement d'Anne. J'étais déjà si malheureuse d'être séparée d'elle par quelques dizaines de lieues... lorsque les océans seraient entre nous, que deviendrais-je ? Et à quoi aura servi mon crime s'il nous éloigne à jamais l'une de l'autre ?

J'espérais que Cléonice m'en apprendrait un peu plus au cours de la journée, mais, comme à l'habitude, nous ne pûmes parler.

La nuit suivante, c'est moi qui me glissai dans son lit, voisin du mien.

— Comment sais-tu que le roi envoie des prisonnières dans le Nouveau Monde ?

— Ma sœur aînée y est partie, y a plus de cinq ans.

Cet aveu me laissant sans voix, Cléonice poursuivit :

— Oui, qu'est-ce que tu veux... Nous ne sommes pas nées avec une cuillère d'argent dans la bouche.

Ma mère a eu treize filles, fallait bien se nourrir. Elle n'était point trop regardante sur la manière dont nous gagnions quelques pièces. Les plus jeunes mendiaient sur les marches des églises, attendrissant les fidèles par leur mine misérable. Certaines d'entre nous se placèrent comme domestiques. Ma sœur Camille était jolie et avenante, elle rêvait de rencontrer un gentilhomme de qualité. Malheureusement, son chemin a croisé celui d'un coquin qui en a fait une fille de petite vertu... Un jour, elle a été raflée par la police du roi et elle a été embarquée de force pour la Nouvelle-France.

Je me souvenais que Mlle du Pérou nous avait montré ce territoire sur le globe terrestre et j'ajoutai :

— C'est en Amérique septentrionale[1], n'est-ce pas ?

— Oui, c'est là qu'est ma sœur. Quelques mois après son arrivée, elle m'a écrit une lettre où elle m'annonçait qu'elle était mariée et qu'avec son mari elle exploitait une terre fertile.

— C'est merveilleux.

— Oui. Et j'ai très envie d'aller la rejoindre.

— Tu crois que ce serait possible ?

— Ma sœur, qui continue à m'écrire, m'a assuré que les gouverneurs favorisaient le rapprochement

1. Amérique du Nord.

des familles. Son mari, un ancien militaire de l'armée du roi, a fait une requête en ma faveur... alors j'espère que bientôt...

— Tu as de la chance.

Cléonice soupira :

— Pour une fois que la chance serait avec moi. Si l'occasion se présente, je peux demander que tu sois du voyage avec moi.

Sa proposition me pétrifia. Que faire ? Partir pour retrouver ma liberté mais m'éloigner d'Anne, ou rester ? Prendre une décision si rapidement m'affola et je bredouillai :

— Je... je vais y réfléchir.

Mon hésitation chagrina ma nouvelle amie. Elle aurait sans doute apprécié plus d'enthousiasme, car après tout, elle me proposait un moyen de m'évader de ma prison. D'ailleurs, elle me poussa hors de sa couche en grommelant :

— Réfléchis pas trop, tu risques de manquer une bonne occasion. Maintenant, va-t'en, j'ai sommeil.

Pendant plusieurs jours, elle ne vint point me retrouver dans mon lit et ne m'invita pas dans le sien. Toutes les pensées contradictoires qui m'assaillaient ne me laissaient point de répit, car le travail répétitif que l'on nous imposait – broderie, lavage des sols, récurage des gamelles, ravaudage de linge –, s'il nous occupait les mains, permettait à notre esprit de vagabonder. Que devais-je faire ? Quelle était la bonne décision ? Partir ? Rester ?

Je ne sais combien de semaines s'enchaînèrent les unes aux autres. Elles se ressemblaient toutes et j'avais pris la décision de ne point les compter. Aucune date n'ayant été fixée pour ma sortie, il me parut plus sage d'effacer le temps. Cela réussit assez bien, car je fus bientôt incapable de dire s'il y avait trois mois que j'étais là ou quatre. Je m'étais fondue dans la masse. Je mangeais quand il fallait manger, je faisais le travail que l'on me donnait sans rechigner. Épuisée par la fatigue et l'ennui, je dormais sans difficulté. Nous étions toutes dans un état d'hébétude similaire. La résistance était inutile. Nous n'attendions rien. Pas même notre libération. La plupart d'entre nous étions oubliées par nos proches et par l'État. Nous étions destinées à finir nos jours là. Et si nous étions dociles, nous évitions le cachot au pain sec et à l'eau.

Et puis, un après-dîner, il y eut quelque chose d'inhabituel... un frémissement... Les religieuses marchaient plus vite. Une porte claqua. Des mots fusèrent rapidement sans qu'aucune sanction s'abatte sur les coupables...

— Un envoyé de Sa Majesté...

— Un départ pour le Nouveau Monde ?

Non loin de moi, Cléonice, à genoux, frottait le sol du réfectoire. Elle se releva, cambra ses reins douloureux, saisit son seau d'eau sale et passa devant moi en chuchotant :

— Tu es partante ?

Sans plus réfléchir, je lâchai :

— Oui.

Elle s'éloigna pour vider son seau.

Je me levai à mon tour. Mille pensées se bousculaient dans ma tête et un vertige me saisit. Est-ce que j'allais bientôt quitter cette prison ? Est-ce que j'allais enfin connaître autre chose que cette vie misérable ? Est-ce que j'allais être choisie ? Est-ce que m'éloigner d'Anne ne serait pas une épreuve insurmontable ? Qu'est-ce qui m'attendait dans ce Nouveau Monde ? Le bonheur ? Le malheur ?

Je n'eus cependant point le temps de m'appesantir sur mon sort.

La cloche nous ordonnant de nous rassembler dans la cour retentit. Nous nous plaçâmes en rang comme nous en avions l'habitude tous les matins et tous les soirs pour l'appel. Cléonice était à ma gauche.

Lorsque le claquement sec de nos sabots sur le sol eut cessé, la mère supérieure entra, suivie par deux gentilshommes.

— Des recruteurs, c'est sûr, me souffla mon amie.

Les battements de mon cœur s'accélèrent. Mon destin allait se jouer maintenant.

La mère supérieure promena ses yeux perçants sur le carré impeccable que nous formions, puis, sans doute satisfaite du résultat, elle toussota :

— Mesdemoiselles, ce jour d'hui est un grand jour pour notre maison. Vous nous avez été confiées pour que le travail, la prière, l'isolement vous purifient de vos fautes et vous remettent dans le droit chemin. Certaines d'entres vous sont sur la bonne voie, d'autres ont encore beaucoup d'efforts à fournir pour y parvenir.

Dans quelle catégorie étais-je ? J'avais agi de telle façon que l'on pouvait me ranger dans la première, même si à l'intérieur de moi tout n'était que révolte. Avais-je réussi à donner le change ?

— Sa Majesté, dans sa mansuétude, propose aux plus méritantes de s'établir dans l'une des provinces de France du Nouveau Monde. C'est une chance pour vous ! Beaucoup rêvent de partir pour ces pays pleins de promesses mais doivent y renoncer parce que le voyage coûte cher. Sa Majesté a la grande bonté de vous offrir le voyage, un trousseau et, pour celles qui se marieront dès leur arrivée en Nouvelle-France, une dot.

Quelques murmures d'étonnement, d'inquiétude, de joie aussi parcoururent nos rangs. Cléonice était calme. Un sourire flottait sur ses lèvres. Moi, j'étais tendue comme un arc et je buvais les paroles de notre mère supérieure.

— Celles dont le nom sera prononcé par M. de Marquet sont priées de venir se ranger à ma gauche.

L'envoyé du roi remercia la mère supérieure d'un mouvement de tête, puis s'avança d'un pas, déplia une feuille de papier qu'il sortit de son gilet sans se presser et lut d'une voix de stentor les noms qui y étaient inscrits.

Chaque patronyme prononcé tombait dans un silence lourd. Aussitôt s'ensuivait un chuchotement, un cri de joie ou de peur, un sanglot, un souffle, et celle dont le nom venait de retentir s'avançait vers la supérieure. M. de Marquet s'arrêtait quelques secondes avant de reprendre.

J'avais l'impression d'assister à la lecture d'une liste de condamnées aux galères.

C'était abominable, car certaines s'arrachaient difficilement des bras d'une compagne qui n'était pas désignée, d'autres sanglotaient, avançaient en titubant ou ne bougeaient point, pétrifiées sur place.

— Vidal ! répétait alors le recruteur.

— Vidal ! reprenait encore la mère supérieure.

Et c'est une surveillante qui venait tirer par le bras la dénommée Vidal, pâle et tremblante, pour la conduire avec les autres.

Il y eut aussi quelques exclamations de joie.

Les noms s'égrainaient et j'attendais le mien sans savoir si ce serait une bonne ou une mauvaise nouvelle. Je m'en remettais au sort.

— Cléonice Masperon !

Elle me saisit la main et me souffla :

— Adieu ou à bientôt.

Je perdais ma seule alliée dans cet univers clos de murs.

— Bonne fortune ! lui répondis-je.

Il y avait déjà plus de quarante filles autour de la supérieure. M. de Marquet avait replié sa feuille pour lire plus commodément les dernières lignes. C'était fini. J'allais terminer mes jours dans cette prison. Tel était mon destin. Sans doute pour que je ne m'éloigne pas de ma chère Anne.

— Crémainville !

Mon nom éclata, résonna entre les murs et retentit dans mon cerveau. Je rejoignis le groupe d'un pas ferme.

CHAPITRE

7 BIS

Anne

Rien de nouveau à Saint-Cyr.

Je prie chaque jour avec ferveur pour que Gertrude ait la force de survivre dans sa prison et que nous soyons un jour réunies.

Je ne vois pas par quel miracle cela pourrait se produire puisque nous sommes toutes les deux enfermées, Gertrude dans une véritable prison, et moi dans ce qui devient un couvent. Mais pour Dieu, rien n'est impossible.

Afin qu'il exauce mon vœu, je me donne tout entière à la prière, ne refusant aucune tâche ingrate, me dévouant pour soigner les petites malades ou pour aider les maîtresses de la classe rouge.

Voici quelque temps Mme de Crécy me tint ce discours :

— Castillon, je vous félicite pour vos efforts destinés à racheter votre faute. Je savais que vous étiez honnête et que c'est Crémainville qui vous entraînait sur la pente du péché, aussi je vous pardonne.

J'aurais dû protester, assurer que Gertrude, elle aussi, était honnête et que seule la rigueur du règlement l'avait poussée à agir ainsi... mais je ne pipais mot. J'étais lasse des remous de cette sombre affaire. J'avais à grand-peine reconquis la paix et il me coûtait de relancer une polémique qui, j'en avais bien conscience, ne tournerait jamais à mon avantage.

Ma lâcheté me fit honte et je m'imposai une pénitence. Pendant quatre jours, je me contentais de me nourrir de pain et d'eau. Personne ne me le reprocha. Nos maîtresses nous encourageaient à nous livrer à des séances de pénitence. Parfois, c'était même une consigne pour toutes les demoiselles de la maison afin d'obtenir une grâce divine pour le roi. Ainsi, lorsque Sa Majesté tomba malade, nous jeûnâmes deux jours complets pour obtenir sa guérison. Et il guérit. Nous chantâmes de toute notre âme un *Te Deum* à notre chapelle pour remercier les cieux.

CHAPITRE

8

Gertrude

Deux charrettes attendaient dans la cour. On nous y poussa comme l'on devait pousser le bétail destiné à la boucherie. Certaines y montèrent sans résistance, d'autres criaient et se débattaient, d'autres, dont Cléonice et moi étions, affichaient un air conquérant même si notre cœur battait fort à la perspective de ce monde inconnu où nous étions précipitées. Aucune des sœurs ne vint nous saluer, ni nous bénir. Un ordre sec claqua. Les charrois s'ébranlèrent, escortés de plusieurs cavaliers en armes. La porte de la prison des Madelonnettes s'ouvrit en grand. J'ignore quelle mouche me piqua, mais je me levai du banc où j'étais assise et je lançai à mes camarades :

— Nous sommes libres !

Ma phrase eut un effet quasi magique et plusieurs filles reprirent, comme pour s'en persuader :

— Nous sommes libres !

Les pleurs et les gémissements s'atténuèrent et quelques souris timides naquirent sur des visages ravagés par les larmes.

Nous ne savions pas où nous allions. Personne n'avait cru utile de nous informer de notre destination, mais personne n'était là non plus pour ordonner le silence. Alors, les langues se délièrent. Les craintes, les angoisses s'exprimèrent, les rêves et les espoirs aussi. Celles qui ne voulaient pas partir racontaient pourquoi et celles qui voyaient dans ce départ une nouvelle chance tentaient de convaincre les premières. Nous parlions haut pour couvrir le bruit des roues, le couinement des essieux et les pas des chevaux des cavaliers, et nous jouissions d'entendre enfin le son de nos voix. Ainsi se créa entre nous un lien amical que le silence et la prière n'avaient pas fait naître.

À la couchée[1] les chariots s'arrêtèrent en bordure d'un champ fraîchement fauché. On nous fit descendre et asseoir sur l'herbe sous la garde de plusieurs gendarmes. On nous distribua du pain et des cruches d'eau qui avaient dû être remplies aux fontaines du village dont nous apercevions le clo-

1. À la nuit tombée.

cher dans le lointain. Nous allions passer la nuit à la belle étoile. Cela enchanta Cléonice :

— Enfant, j'aimais dormir dans les champs en été. Nous y étions bien mieux qu'enfermés dans notre masure. Et il y a si longtemps que cela ne m'est pas arrivé...

Je n'avais jamais dormi dehors et il me parut impossible de s'abandonner au sommeil sans la protection d'un toit.

Nous nous groupâmes sous un arbre en nous serrant les unes contre les autres.

La plupart de mes compagnes s'assoupirent, vaincues par les émotions et la fatigue.

Je résistais, car une idée soudain avait germé dans mon esprit.

Lorsque les gardes seraient endormis, ne serait-ce pas l'occasion de fuir ? Me faufiler derrière les chevaux, éviter le village et courir, courir...

J'essayais de prendre en compte toutes les difficultés. Quel serait le meilleur moment ? Au cœur de la nuit ou dès potron-minet[1] ? Comment faire pour survivre sans aide ? Quelle direction était la bonne ? À qui demander éventuellement l'hospitalité ? Comment faire pour revoir Anne ? Et si par malheur les gardes me retrouvaient, n'allais-je point au-devant de la mort ?

1. L'aube.

Je ne parvenais pas à me décider. Partir ? Rester ? Cette indécision était abominablement cruelle et je n'avais encore pas tranché lorsque les premières lueurs de l'aube déchirèrent la nuit.

Soudain, Cléonice que je croyais endormie, me chuchota à l'oreille :

— C'est sans doute grâce à l'intervention de ma sœur que tu as été nommée.

Un réflexe de politesse me fit bredouiller :

— Merci.

Jugeant sans doute que je mettais peu de chaleur dans mon remerciement, elle insista :

— Tu es contente, au moins ?

— Oui, très.

— Entre nous, maintenant, c'est à la vie, à la mort. Jamais rien ne nous séparera.

Prise au dépourvu, je ne pus lui faire part de mes doutes et de mes envies. Elle me saisit la main et, la serrant très fort dans la sienne, elle me dit d'un ton solennel :

— À deux, on est plus fort. Jurons de nous porter toujours secours.

Un peu contre mon gré, j'allais lui jurer une amitié éternelle, lorsque des cris et des tirs de mousquets retentirent :

— Halte-là ! hurla un garde.

— Revenez, scélérates ! reprit un autre après avoir tiré en l'air.

Cinq gardes nous mirent debout à coups de crosse dans le dos et nous ordonnèrent de ne pas bouger en pointant leurs fusils sur nous, tandis que cinq ou six autres gens en armes couraient vers la forêt proche. Certaines filles, effrayées, fondirent en larmes, d'autres s'indignèrent.

— Il y en a qui tentent l'évasion, me souffla Cléonice.

— Elles ont bien raison, ne pus-je m'empêcher de lui répondre.

— Ça dépend ce que l'on veut... une vie de misère en se cachant ou un nouvel avenir dans un nouveau pays... Et puis, si elles échouent...

Elle résumait en peu de mots mes hésitations de la nuit.

Il ne fallut que quelques minutes pour que les gardes reviennent en tenant fermement par le bras deux filles, le visage ensanglanté, l'œil hagard.

— Voilà ce qui arrive à celles qui cherchent à se dérober à la loi ! Ces deux-là finiront le voyage les fers aux pieds comme les bagnards ! Parce que les ordres de Sa Majesté sont de vous conduire à La Rochelle pour votre embarquement !

— Faut-il être bête pour risquer sa vie ainsi alors que la liberté nous attend au bout du voyage ! ajouta Cléonice.

Je ne lui avouai pas que j'avais eu moi aussi ce projet.

CHAPITRE

8 BIS

Anne

Depuis quelques jours, notre maison était en effervescence parce que nous allions avoir la visite du nonce Cavalerini, envoyé par le pape Innocent XII[1].

Nous supposions qu'il venait nous visiter avant que le pape ne donne son accord pour que notre maison se transforme en couvent. Nous sentons bien que Mme de Maintenon, poussée par l'abbé Godet des Marais, en a le projet.

Nous avions répété nos cantiques jusqu'à en avoir mal à la gorge, car le nonce devait assister aux complies.

1. Antonio Pignatelli (1615-1700), élu pape le 12 juillet 1691, sous le nom de Innocent XII.

Certaines d'entre nous avaient balayé la cour, les corridors, les salles afin qu'il n'y ait plus un seul grain de poussière. Olympe de Bragare avait regimbé en prétextant que c'était une activité réservée aux domestiques. Mais notre maîtresse lui avait répondu que cela nous apprendrait l'humilité et qu'elle en avait bien besoin.

— Être humble quand on veut jouer la comédie dans un théâtre, ce n'est point pour moi, m'avait-elle soufflé.

Mais elle s'était bien gardée de le dire tout haut et elle avait pris le balai comme nous.

D'autres avaient confectionné des bouquets pour la chapelle, d'autres avaient repassé les nappes d'autel, arrangé les carreaux[1]. Mme de Maintenon voulait que tout soit parfait. Elle nous avait rassemblées dans la cour et nous avait fait un petit discours, d'où il ressortait que le pape serait informé point par point de la bonne marche de notre maison et qu'il y allait de son honneur que tout se passe bien. Nous nous sentions donc investies d'une importante mission qui augmentait notre angoisse.

Nous avions l'impression que si l'une d'entre nous commettait une fausse note, si elle trébuchait, ratait sa révérence, les foudres de Rome s'abattraient sur Saint-Cyr.

1. Coussins que l'on se met sous les genoux à l'église.

Cependant, tous ces préparatifs mettaient un peu d'animation dans notre maison et ce n'était point pour me déplaire.

Enfin, le jour arriva.

Le matin, dès l'aube, nous nous levâmes pour revêtir des vêtements propres et cent fois nous arrangeâmes le petit bonnet qui est un peu l'emblème de Saint-Cyr.

— Il faut nous y cramponner, assura Olympe, car d'ici peu, nous aurons un voile épais et terne qui couvrira nos cheveux.

— Oh, non, protestai-je. On dit que le roi est très attaché à notre tenue et qu'il déteste les vêtements sombres et tristes des religieuses.

— Il nous reste cet espoir, soupira Jeanne.

Mme de Maintenon souhaita que rien ne modifie nos habitudes, mais nous étions si nerveuses que nos mains tremblaient sur nos ouvrages de broderie, que nos maladresses faisaient naître des rires nerveux et que, au réfectoire, beaucoup furent incapables de manger. J'étais de celles-là.

Enfin, on nous ordonna de nous ranger dans la cour royale afin de constituer une haie d'honneur et nous attendîmes. Longtemps. J'en avais des fourmis dans les jambes.

Soudain, une maîtresse tapa dans ses mains et deux mots coururent dans les rangs :

— Le voilà, le voilà...

Nous ouïmes des hennissements de chevaux et les crissements des roues des carrosses s'arrêtant devant le portail d'entrée de la clôture où Mme de Maintenon devait accueillir le célèbre visiteur.

Nous lissâmes nos jupes du plat de la main, ajustâmes nos coiffes, et lorsque Mme de Maintenon, le nonce et sa nombreuse suite traversèrent nos rangs, nous plongeâmes dans une parfaite révérence. J'avais si peur de ne pas bien l'exécuter que j'en tremblais.

Dès que le groupe eut pénétré dans notre maison, silencieusement nous regagnâmes nos classes où nous reprîmes nos places et nos ouvrages. Notre maîtresse nous annonça que le pape offrait des chapelets aux élèves et des boîtes de parfum, des gants, des éventails aux dames de Saint-Louis. De plus, il donnait à notre maison les reliques de Dieudonné. Nous avions déjà à Saint-Cyr celles de sainte Benoîte, de sainte Pérégrine, de saint Boniface et de saint Vincent, car Mme de Maintenon avait une dévotion particulière pour les reliques.

— Une de plus pour sa collection, persifla Olympe à mon oreille.

Une nuit, dans le dortoir, alors que nous avions passé l'après-dîner à l'église en contemplation devant une châsse d'or contenant une mèche de cheveux de sainte Pérégrine, Olympe s'était moquée en affirmant que ce serait moins ennuyeux pour nous si Madame collectionnait plutôt les bijoux.

Notre maîtresse nous avait informées que le prélat viendrait peut-être dans nos classes. Nous espérions cette venue tout en la redoutant.

Des pas dans le corridor nous firent lever la tête de notre broderie. Il entra, Madame sur ses talons. Je n'en revenais pas de voir de si près le représentant du pape qui lui-même représentait Dieu sur la terre. Jamais je n'avais ressenti pareille émotion. Nous nous levâmes, puis nous nous agenouillâmes pour recevoir sa bénédiction. J'eus le sentiment d'être absoute de tous mes péchés et d'être à la porte du paradis.

Le soir venu, nous assistâmes aux complies avec le nonce dans notre chapelle toute fleurie et nos chants fervents retentirent sous la voûte.

L'événement m'avait brisée, et mes compagnes aussi sans doute, car nous n'eûmes pas la force de sortir de nos lits pour bavarder lorsque nous nous retrouvâmes dans le dortoir. Je m'aperçus alors que je n'avais point pensé à Gertrude de tout le jour et le remords me tortura jusqu'à ce que je m'endorme sans m'en rendre compte.

CHAPITRE

9

Gertrude

Nous mîmes cinq jours pour atteindre La Rochelle.

À cause de l'évasion manquée de Lucie et Mauricette, la surveillance avait été renforcée et la nourriture que l'on nous donnait se réduisit et le silence nous fut à nouveau imposé.

Lorsque, à la nuit tombée, nous nous arrêtions dans un pré, nous étions encerclées par les hommes en armes. Cependant, comme il leur arrivait de s'assoupir, nous en profitions pour échanger quelques phrases.

— Ils nous affament pour nous ôter nos forces, m'assura un soir Cléonice.

J'approuvai son raisonnement d'un hochement de tête et j'ajoutai :

— Le capitaine en profite aussi pour économiser l'argent de nos repas afin d'augmenter sa solde.

Malgré le désagrément de ce voyage, je trouvais un dérivatif à mon angoisse en admirant le paysage. Jusqu'à présent, je n'avais eu, pour tout horizon, que les murs de Saint-Cyr et tout m'était étonnement : les fleuves que nous traversions, les immenses forêts, les petits villages. Je devais avoir un air émerveillé, car Cléonice plaisanta :

— Vrai, on dirait que tu sors de ton œuf !

— C'est un peu ça. Je suis à Saint-Cyr depuis l'âge de huit ans et je ne me souvenais plus que dehors c'était si beau et si grand.

— Diable, jamais j'aurais pu rester enfermée tout ce temps ! Moi, au contraire, j'étais libre de ma naissance à ce jour maudit où l'on m'a arrêtée... Deux ans de prison, c'est déjà trop.

— C'était le choix de mes parents pour assurer mon avenir... Las, je les ai trahis... et...

À l'évocation de mes parents, la tristesse menaça de m'envahir. Cléonice s'en aperçut, elle me tapa sur la cuisse et ajouta :

— Moi, je dis, à chaque malheur, il y a un bonheur qui nous attend quelque part... je suis sûre que ce sera là-bas...

Son geste attira l'attention d'un garde qui, bercé par le balancement de la carriole, piquait du nez sur la crosse de son mousquet. Il se leva d'un bond et, me plantant la crosse de son fusil dans les côtes, il hurla :

— Silence, morveuses !

Parfois, nous-mêmes, nous nous assoupissions, vaincues par la fatigue, l'émotion et l'ennui. Assises sur les bancs, nous sentions nos têtes se toucher et nous glissions les unes sur les autres.

Une agitation soudaine me tira du sommeil où j'avais sombré. Je me frottai les yeux et je massai mon cou endolori. Deux compagnes pointaient leur index dans une direction. Je regardai. Une ville se dressait au loin et la cime de deux énormes tours crénelées dépassait des toits.

— La Rochelle !

— Enfin arrivées ! murmura Cléonice.

Un vent de panique balaya notre carriole. Certaines, qui, pendant le voyage, s'étaient fait une raison, se reprirent à s'affoler devant l'imminence de leur départ ; d'autres, au contraire, poussèrent des exclamations de joie, et d'autres encore, muettes, les yeux grands ouverts, ne parvenaient plus à s'exprimer.

Curieusement, je restais de marbre. J'avais l'impression d'être vidée de sentiments. J'avais tellement hésité entre la joie de fuir la prison et le désespoir de m'éloigner d'Anne que je me laissais à présent mener par le destin, puisque de toute façon, je ne pouvais point agir. Je me redressai pour apercevoir la mer. Je ne l'avais encore jamais vue et je me souvenais qu'Henriette[1] parlait de son océan breton comme de la plus belle chose au monde. Je ne distinguai tout d'abord qu'une forêt de mâts, puis, lorsque nous fûmes plus près, des coques de bateaux serrées les unes contre les autres le long du quai et dont la hauteur m'impressionna. Ils me parurent aussi hauts que le château de Versailles que j'avais entr'aperçu en allant jouer *Esther*. Cela me rassura. De pareils bâtiments devaient être capables d'affronter toutes les mers et de nous conduire à destination.

On nous escorta jusqu'à la passerelle. Un officier nous compta, puis son registre tenu à bout de bras par un jeune mousse comme à l'église l'enfant de chœur tient les Évangiles, il nous appela par nos noms et marqua notre présence d'un trait de plume.

— Le compte y est ! Faites descendre ces demoiselles dans leur logement ! ordonna-t-il.

En fait de logement, on nous conduisit dans une soute faiblement éclairée par trois ou quatre ouvertures au ras du plafond bas. Nous tenions à peine debout. Des hamacs étaient suspendus de poutre en poutre, des paillasses jonchaient le sol, quatre ou cinq caisses devaient nous servir de tables et de chaises, et il y avait, répartis à divers endroits, des

1. Lire *Un corsaire nommé Henriette*.

seaux de commodités. Nous comprîmes immédiatement que nos conditions de voyage seraient loin d'être luxueuses. Pas même confortables.

— Le roi nous traite bien mal, grogna Cléonice.

— Espérais-tu voyager dans la cabane du capitaine ? plaisantai-je pour cacher l'angoisse qui m'étreignait.

— Certes non, mais tout de même, nous sommes plus de cent dans cet espace confiné, aussi serrées que des moutons.

— Il faudra nous y faire.

Je n'avais point terminé ma phrase que des ordres lancés du pont nous parvinrent et que nous sentîmes craquer la coque et bouger le navire. Nous levions l'ancre. À croire que l'on n'attendait plus que nous pour partir.

— J'aurais aimé être sur le pont pour voir le bâtiment s'éloigner lentement du port et saluer la terre de France en agitant un mouchoir, dit une de nos camarades nostalgique.

— Ah, non, s'emporta Cléonice. Je la quitte sans regret, je n'y ai connu que le malheur !

Je ne me prononçais point. Mes sentiments étaient si contradictoires que j'aurais pu tout aussi bien fondre en larmes de désespoir ou sourire à l'avenir. Je tâchais cependant de réconforter Cathy :

— Nous reviendrons un jour au bras de notre époux, nos enfants dans nos jupes, notre honneur retrouvé et nous pourrons mener la vie de n'importe quelle dame de qualité.

— Tu crois ? me demanda Cathy en reniflant.

— Sûr.

Cléonice me lança un regard noir de reproche et un rien moqueur. Elle devait me juger stupide de vouloir revenir, mais elle ne laissait pas sur le sol de France une amie aussi chère qu'Anne.

Dès que notre bâtiment atteignit la pleine mer, le roulis nous secoua les entrailles et, à l'exception de Cléonice, nous fûmes toutes malades. Nous restions groupées autour des seaux pour y vomir. L'odeur dans notre soute était insoutenable. Cléonice, qui avait le pied marin, tambourinait contre la porte pour demander que l'on nous ouvre afin de renouveler l'air, et aussi que l'on nous autorise à aller vider les seaux. Personne ne répondait. Nous n'existions pas. La panique s'empara de nous. Le capitaine avait dû empocher une belle somme à l'embarquement, mais sans doute n'avait-il pas l'obligation de nous livrer saines et sauves en Nouvelle-France.

— Et puis, m'apprit Cléonice, j'ai entendu dire que les marins prétendent que les femmes à bord portent malheur.

— Ils vont nous laisser crever comme des rats ! s'insurgea l'une de nous.

J'avais lu autrefois, à Saint-Cyr, les récits de voyage de Christophe Colomb et je savais que l'on s'habitue au roulis et au tangage au bout de quelques jours. Je l'expliquai à mes compagnes, ce qui les calma un peu. Celles qui réussissaient à contenir les contractions de leur estomac aidaient les plus malades et, alors que nous nous connaissions à peine, une grande solidarité s'installa entre nous. À la fin du cinquième jour, nos estomacs ne se mettaient plus à l'envers, mais la puanteur du lieu entretenait nos haut-le-cœur. Il nous aurait fallu de l'eau pour nous nettoyer et de l'air pour éviter de respirer les miasmes de nos déjections.

Tous les jours, la porte s'ouvrait dans la matinée. Un matelot nous donnait un pain, une marmite contenant du bouillon et deux cruches d'eau. Cléonice et moi réceptionnions ces précieuses denrées et, chaque fois, mon amie suppliait :

— Dites à votre capitaine que nous avons besoin de nous laver, de vider nos seaux, et de sortir un peu à l'air libre.

— J'lui dirai, grognait le matelot qui se bouchait le nez en refermant vitement la porte.

Mais rien ne se passait.

Nous entreprîmes de tambouriner sans s'arrêter contre la porte en espérant que, lassé par notre tapage, quelqu'un vienne nous secourir.

Nous nous relayâmes ainsi jour et nuit. Nos poings en devenaient douloureux, mais Cléonice nous encourageait :

— Ils n'ont pas le droit de nous laisser sans soin ! Et si nous devons mourir, nous percerons la coque avec nos dents s'il le faut afin qu'ils crèvent tous avec nous !

Nous étions toutes prêtes à ce sacrifice. Certaines commencèrent à creuser le bois de la coque avec leur cuillère, et lorsqu'elles réussissaient à arracher un fin copeau, elles poussaient des cris de victoire. C'était un combat perdu d'avance ! Mais il nous permit de ne pas sombrer dans la folie.

Au soir du sixième jour, la porte s'ouvrit. L'heure n'était point habituelle et un cri d'espoir retentit lorsqu'un rai de lumière éclaira notre antre.

— Seigneur, quelle odeur ! s'exclama la silhouette féminine qui venait de paraître à la cime de l'échelle.

— Qui est là ? interrogea un homme en balançant une lanterne à bout de bras.

— Nous sommes des demoiselles en partance pour le Nouveau Monde, répondis-je.

— Il est parfaitement inhumain de vous laisser enfermées dans cette soute immonde ! reprit la femme.

— Combien êtes-vous ?

— Cent deux.

La porte était restée ouverte et nous nous groupâmes pour bénéficier du peu d'air qui arrivait. Je vis alors que la femme était jeune, confortablement vêtue et parfaitement bien coiffée. L'homme qui l'accompagnait était plus âgé, mais il avait l'allure d'un gentilhomme.

— Eugène, il faut faire quelque chose. On ne peut pas abandonner ces malheureuses à leur triste sort.

— Vous avez raison, Héloïse. Je vais de ce pas dire ma façon de penser au capitaine.

— Je vous attends, mon ami.

Elle s'avança dans la soute, tenant la lanterne d'une main, le bas de sa robe de l'autre pour éviter de la souiller. Lorsqu'elle passa près de moi, je respirai son parfum et il me sembla que je n'avais jamais rien humé de si agréable depuis des années. Elle posa le fanal sur une caisse et engagea la conversation, nous questionnant sur nos parents, nos projets comme si elle avait été dans un salon. Je suppose qu'elle faisait cela par charité pour nous montrer que nous n'étions point des bêtes mais des êtres humains capables de s'exprimer, et aussi, sans doute, pour oublier la puanteur de l'endroit. Mes compagnes, qui, pour la plupart, étaient des filles du peuple sans instruction, impressionnées par le beau langage de cette Héloïse, lui répondirent par monosyllabes ou même se renfrognèrent dans leur coin. J'eus peur un instant que la seule qui s'intéressât à notre sort en prenne ombrage et nous abandonne, aussi je me mis en devoir de bavarder avec elle.

— Je vous remercie, madame, du soin que vous prenez de nous et qui montre votre grandeur d'âme.

— Voyez-vous, je paie ma dette en quelque sorte... car il y a peu de mois, j'étais dans le même état que vous.

— Comment cela se peut-il ?

— J'étais exilée en Suisse avec ma mère pour... pour cause de religion et nous étions dans le plus grand dénuement. C'est une demoiselle inconnue qui nous a sauvées. Jamais je ne l'oublierai. Elle s'appelait Hortense de Kermenet[1].

J'eus comme un éblouissement. Abasourdie, je répétai :

— Hortense de Kermenet ?

— Oui. Elle avait été élève à la maison royale d'éducation et en était partie pour épouser mon frère Simon.

La stupeur me laissa muette plusieurs secondes. Avais-je bien entendu ? Et quel curieux hasard voulait que je sois sauvée par quelqu'un ayant une attache avec Saint-Cyr. L'émotion menaçait de me

1. Lire *La promesse d'Hortense.*

submerger et je fis un effort pour expliquer d'une voix tremblante :

— Je viens moi aussi de Saint-Cyr et j'ai joué avec Hortense, Isabeau, Louise, Charlotte, Henriette et Olympe dans *Esther,* ce qui a soudé notre amitié.

Elle aurait pu me demander quel méfait m'avait conduite de Saint-Cyr à cette soute malodorante, ce qui m'aurait mise fort mal à l'aise, mais elle s'abstint et poursuivit :

— Alors, c'est vraiment le Seigneur qui m'envoie et je vais tout faire pour vous tirer d'ici. J'ai nom Héloïse Dunoyer et je suis la sœur de Charlotte.

— Charlotte ? Avez-vous de bonnes nouvelles d'elle ?

— J'ai eu la joie de l'embrasser lorsque avec Eugène j'ai raccompagné ma mère en Vivarais. Charlotte et François, son fiancé, avaient fui Versailles et venaient de rejoindre la maison familiale. Ils devaient se marier. Charlotte a toujours son caractère de feu et elle rêve de se venger de M. de Bourdelle qui a trahi sa famille[1].

— Cela ne m'étonne point d'elle. Et savez-vous quelque chose d'Hortense ?

— Non. Nous nous sommes séparées en chemin. Je me suis dirigée vers le Vivarais, elle est partie en direction de Versailles en espérant y obtenir de

1. Lire *Charlotte la rebelle.*

l'aide pour sauver Simon[1]. Je gage qu'elle y est parvenue, parce qu'elle possédait un grand courage et...

À cet instant, un officier, un mouchoir sur le nez, s'encadra dans l'ouverture de la trappe.

— Ah, monsieur, s'exclama Mme Dunoyer en se levant, constatez par vous-même qu'il n'est pas humain de laisser ces demoiselles dans ce lieu abject !

— Ce sont les instructions, madame. Elles ne doivent point paraître aux yeux des autres passagers.

— Comment ? Mais c'est ignoble ! Je suis certaine que personne ne sait dans quelles conditions voyagent ces malheureuses.

L'officier pinça les lèvres sans mot dire et ne descendit point jusqu'à nous. Son attitude fit bouillir les sangs de notre bienfaitrice, car elle s'exclama d'un ton sans réplique :

— Je m'en vais plaider leur cause auprès de nos compagnons de voyage et ils changeront d'avis, je vous le promets.

Elle commença à gravir l'échelle et, se retournant, elle nous assura :

— N'ayez crainte, je m'occupe de vous.

Et comme l'officier allait refermer la porte, elle ordonna :

1. Lire *La promesse d'Hortense.*

— Laissez-la ouverte, je me porte garante qu'aucune de ces jeunes filles ne cherchera à sortir avant qu'elle n'en ait obtenu l'autorisation.

Lorsqu'elle disparut, il nous parut que l'air était plus respirable.

CHAPITRE

9 BIS

Anne

Notre maison a retrouvé sa sérénité et sa monotonie.

J'ai à présent tout le temps de songer à Gertrude et mes pensées ne sont point gaies. Son sort m'inquiète toujours autant et j'ai honte de ma vie calme alors que j'imagine la sienne difficile et pénible.

Parfois, je demande aux cieux la punition d'une maladie en espérant que ma souffrance apaisera un peu la sienne. Mais, malgré mes vœux, je me porte bien. Alors je multiplie les prières pour que Gertrude soit protégée et aussi pour que Dieu, dans sa grande mansuétude, fasse que nous nous revoyions un jour prochain.

CHAPITRE

10

Gertrude

Héloïse tint parole.

J'ignore comment elle s'y prit pour influencer le capitaine, mais un officier vint nous proposer de sortir sur le pont inférieur pendant que des mousses nettoieraient la soute. Il me coûta cependant de me montrer au grand jour, aussi sale et mal coiffée. Héloïse le comprit à ma mine contrariée.

— Ne bougez point, je reviens, m'assura-t-elle en me posant une main compatissante sur le bras.

Une heure plus tard, elle était de retour. Deux mousses traînaient derrière eux une lourde malle.

— Voila ! lança-t-elle joyeusement. J'ai fait appel aux dames présentes sur le navire. À dire vrai, nous ne sommes que dix. Mais comme il s'agit d'épouses d'officiers et de notables ayant des malles bien garnies, elles n'ont pas refusé de vous faire l'aumône de quelques-uns de leurs effets.

— Oh, il ne fallait pas, répliqua Cléonice tout en lorgnant les malles avec envie.

— Vous ne trouverez pas toutes une nippe à votre taille, mais au moins vous aurez du linge propre.

Lorsque Héloïse souleva le couvercle, mes compagnes se jetèrent sur les vêtements en poussant des cris de joie. La plupart n'avaient jamais rien vu d'aussi somptueux, et à la perspective de porter du si beau linge, elles perdirent toute mesure. Vitement des injures retentirent et des coups s'échangèrent, car plusieurs convoitaient la même pièce et ne voulaient point la céder.

Je ne me mêlai pas à cette curée mais le rouge de la honte me monta au visage.

— Je vous en prie, mesdemoiselles, un peu de tenue ! gronda Héloïse.

En deux minutes d'horloge, la malle fut vide. Je n'avais rien pris. Personne ne s'en soucia, hors Héloïse qui me chuchota à l'oreille :

— Je vous céderai une de mes robes. Elle vous ira mieux qu'à moi, car le bustier est trop large et je ne la porte jamais.

C'était certainement une menterie qui prouvait sa délicatesse.

Nous nous accoudâmes côte à côte au parapet et j'aspirai à pleins poumons l'air frais qui m'avait tant manqué.

— J'ai obtenu du capitaine qu'il vous accorde une promenade d'une heure tous les jours.

— Je vous remercie.

— Le capitaine a exigé que ce soit pendant le dîner des officiers et des passagers afin que vous ne croisiez personne... je... je regrette qu'il vous considère comme...

Gênée, elle ne termina pas sa phrase. Je la mis à l'aise en assurant :

— Cela n'a point d'importance. Ce qui compte, c'est que nous puissions sortir un peu de notre trou.

Mais là aussi, c'était une menterie : que nous soyons considérées comme des pestiférées me déplaisait fortement, d'autant que parmi nous, il y avait plus de voleuses de pain et de filles dont on avait abusé que de criminelles.

Les jours coulaient, monotones, en nous rapprochant de la Nouvelle-France. Par chance, les vents nous étaient favorables, aucune tempête n'était annoncée et aucun pirate ne s'attaqua à notre navire.

— Voilà qui fera mentir le dicton qui prétend que les filles à bord portent malheur, plaisanta Cléonice.

Héloïse m'avait annoncé que son époux qui était notaire comptait s'établir à Québec, car cette profession manquait dans cette ville. J'en conclus que c'était là le but de notre voyage et que nous aussi, nous allions nous y établir. Héloïse m'en fit d'ailleurs une description enchanteresse. À l'ouïr, c'était une ville où chacun pouvait faire fortune. Comme je m'étonnais, elle me dit :

— Eugène s'est bien renseigné. S'il n'y avait pas eu pour lui de belles perspectives d'avenir, nous n'aurions jamais entrepris un si périlleux voyage.

Chaque jour, elle s'arrangeait pour venir bavarder avec moi tandis que nous faisions les cent pas sur le pont inférieur. Elle me demanda de lui conter par le menu la vie à Saint-Cyr, dont elle ignorait tout parce qu'elle n'avait pas pu recevoir de lettres de Charlotte. Je lui fis donc un récit le plus fidèle possible. Elle fut fort satisfaite d'apprendre que nous y avions eu une existence agréable jusqu'à la venue de l'abbé Godet des Marais. Comme elle se lamentait sur le durcissement de la règle et parce que je me sentais parfaitement en confiance avec elle, je lui expliquai comment mon amitié pour Anne m'avait conduite en prison puis sur ce navire.

— Certes, vous avez mal agi, mais vous subissez dignement les souffrances que l'on vous impose pour payer votre dette à la société. Après la prison, ce difficile voyage vous permettra de relever la tête et d'envisager l'avenir dignement.

Son discours me plut et je m'enhardis à lui demander :

— Croyez-vous que, par l'intermédiaire de votre époux, je puisse transmettre une lettre à ma chère Anne ?

Elle réfléchit un instant, puis s'exclama :

— Le cousin de mon époux, Augustin de Trimont, dont la famille est restée fidèle à la religion catholique, possède une charge à la cour. Il me souvient qu'il est ami avec Mme de Caylus, proche de Mme de Maintenon.

— Marguerite de Caylus[1] ! m'écriai-je au comble de l'excitation. Elle vient souvent à Saint-Cyr et ne refusera pas de faire passer une lettre à Anne, elle a déjà servi d'intermédiaire à Hortense[2].

— Écrivez donc à votre amie. Je remettrai votre courrier à Eugène qui le fera parvenir à son cousin dès que nous débarquerons à Québec.

J'étais si heureuse de sentir que le lien entre Anne et moi allait se renouer que je lui saisis la main pour la baiser. Elle la retira vitement.

— Je suis contente de pouvoir, à mon tour, aider ceux qui en ont besoin... parce que sans l'aide

1. Marthe-Marguerite Levalois de Villette de Mursay, marquise de Caylus (1672-1729).
2. Lire *Les Comédiennes de monsieur Racine* et *La promesse d'Hortense.*

d'Hortense, je serais peut-être morte de chagrin et de privation.

Dès le lendemain, elle me remit du papier, de l'encre et une plume. Cette lettre fut difficile à écrire et je réfléchis longuement à son contenu avant de coucher les mots sur la feuille. Je ne voulais pas peiner mon amie en lui mentionnant que j'avais quitté la France ; pourtant, je devais le lui annoncer, mais je lui jurais que je ne l'oubliais pas même si le destin se jouait de nous en nous éloignant l'une de l'autre. Je la suppliais d'essayer de me répondre par l'intermédiaire de Mme de Caylus, tout en lui recommandant la plus grande prudence. J'embrassais tendrement le papier avant de le donner à Héloïse.

Le soir, avant de m'endormir, c'est le doux visage d'Anne penché sur ma missive que je voyais.

Peu de temps après, un événement se chargea de nous divertir.

Cléonice tomba amoureuse d'un officier qui, après avoir quitté le carré où le repas était servi, avait eu l'idée de se rendre sur le pont inférieur. Et le plus curieux, c'est que ce jeune homme qui se nommait Gilles Duguet éprouvait aussi pour mon amie un si tendre sentiment que bientôt, tous les jours, les deux tourtereaux se tinrent à l'écart pour échanger des mots doux.

— Il est charmant, m'avoua Cléonice, et il veut m'épouser.

— Méfie-toi, Cléonice, ce ne sont sans doute que paroles en l'air. Il manque de compagnie féminine et nous sommes là...

— Non point. Je connais les hommes mieux que toi et je vois qu'il est sincère. D'ailleurs, je lui ai affirmé que je ne lui accorderais rien avant que nous soyons mariés.

— Je ne pense pas que le capitaine voit votre union d'un bon œil.

— Il le faut. Parce que c'est Gilles que je veux. Il est nommé dans la garnison de Québec, car il n'a plus d'attache en France, ayant perdu ses parents récemment. Il a besoin d'une femme pour l'aimer et tenir sa maison.

— Certes, mais tu oublies que nous sommes envoyées par le roi et que nous ne disposons pas de nous.

— Je n'oublie rien au contraire, car dès notre arrivée à Québec, on nous imposera un époux qui ne nous plaira pas, alors que je viens d'en trouver un qui me plaît beaucoup et qui est prêt à fonder une famille.

Elle avait réponse à tout et semblait si heureuse que je souhaitais de tout cœur qu'elle réussisse.

Là encore, Héloïse et Eugène plaidèrent sa cause auprès du capitaine.

Tout d'abord, il refusa, prétextant que son contrat stipulait qu'il devait livrer à Québec des filles qui n'étaient point déjà mariées.

— Seigneur ! s'impatientait Cléonice, s'il refuse de nous unir à bord, je ne sais comment je pourrai échapper au mariage forcé que l'on a prévu pour nous.

Héloïse intervint encore, et, alors que Gilles nous avait prédit que si le vent persistait, nous toucherions terre dans quatre ou cinq jours, elle annonça aux deux amoureux :

— J'ai obtenu gain de cause ! Le capitaine vous donne son accord et le prêtre du bord accepte de vous marier dès demain !

Cléonice poussa un cri de joie et, d'une façon spontanée, elle embrassa Héloïse sur les deux joues. Gilles baisa fort respectueusement la main de leur bienfaitrice en assurant :

— Croyez bien, madame, que jamais je n'oublierai ce que vous avez fait pour nous.

Héloïse chassa d'un geste les remerciements et, toute souriante, ajouta à l'intention de Cléonice :

— Je vous prêterai ma robe de soie bleue ainsi que mon bustier brodé et ma camériste vous coiffera. Vous serez à ravir !

Le lendemain vers les deux heures de relevée, un autel de planches fut dressé sur le pont inférieur. Nous étions toutes très émues quand Cléonice, vêtue de bleu et coiffée comme une marquise, se présenta au bras de Gilles. Elle m'avait choisie comme témoin et j'étais toute retournée. Quelques dames et quelques messieurs informés qu'un mariage avait lieu sur le navire étaient venus en curieux. Les mousses étaient pendus aux cordages afin de suivre la cérémonie. Juste avant l'échange des consentements, le capitaine fit une brève apparition. Serrant la main de Gilles, il lui dit :

— Tu es un bon gars, fier et courageux, aussi je serai ton témoin.

Puis il s'adressa à Cléonice avec, me sembla-t-il, de la tendresse dans le regard :

— Faites de beaux enfants pour que vive le Québec.

Lorsque le prêtre eut prononcé les phrases scellant leur union, des vivats éclatèrent et les mousses lancèrent leur bonnet rouge en l'air. Le coq, qui avait encore de la farine et des œufs puisque la traversée s'était déroulée sans encombre, avait confectionné des petites galettes au miel. Le capitaine avait fait mettre en perce un tonneau de vin de Loire. Un matelot sortit son violon et une fête légère et gaie s'improvisa. On mangea, on but, on dansa, on chanta jusqu'à la nuit tombée.

C'était le premier mariage auquel j'assistais.

J'espérais que le prochain serait le mien et qu'il serait tout aussi joyeux.

CHAPITRE

10 BIS

Anne

Le 20 avril, comme chaque année, depuis le début de la matinée, une activité débordante régna dans les étages. Il s'agissait de retirer des lits et des fenêtres les garnitures d'hiver. Toutes les classes se mirent à l'ouvrage. Ce qui aurait pu être une corvée se transforma en un jeu, car il était fort plaisant de monter au sommet des échelles. Nous nous chamaillions même pour être celle qui irait jusqu'en haut afin de décrocher la lourde étoffe de velours ou de damas. Nous la laissions choir sur le sol en visant l'une de nos compagnes pour l'ensevelir sous le tissu. En bas, celles qui maintenaient l'échelle en profitaient pour tirer sur le jupon de celle qui grimpait. Ce remue-ménage donnait lieu à des plaisanteries et des rires que nos maîtresses toléraient. C'était comme un rite pour le changement de saison qui avait lieu deux fois par an : au solstice d'été et au solstice d'hiver.

Mme de Maintenon, Marguerite de Caylus et d'autres dames y participaient aussi.

Il était bon de rire après l'hiver rigoureux que nous avions passé dans notre maison mal chauffée et humide. Cette année encore, plusieurs de nos compagnes, gagnées par les fièvres, avaient succombé. Mme de Maintenon avait mis en cause les marais sur lesquels s'élevait Saint-Cyr et qui n'avaient point été suffisamment asséchés avant la construction.

Nous remplacions donc les velours et les damas censés arrêter le froid extérieur par des voiles légers comme l'air et le soleil du printemps qui allaient bientôt purifier notre maison. Puis nous échangions nos bas de drap contre des bas de fil et nos gants de laine contre des mitaines. Nous rendions notre cape chaude afin qu'elle soit nettoyée pour l'hiver prochain.

Nous savourions cette journée où le règlement de notre maison était mis entre parenthèses. Dès le lendemain, la règle du silence et du recueillement reprendrait ses droits. Mais comme nous avancions vers les beaux jours, nous étions toutes de bonne humeur.

Je pensais à Gertrude.

La dernière fois que nous avions changé les garnitures d'hiver pour celles de printemps, nous l'avions fait ensemble, riant et nous chamaillant.

Que faisait-elle à présent ? Où était-elle ?

CHAPITRE

11

Gertrude

Lorsque les côtes du Canada se profilèrent à l'horizon après dix semaines de traversée, l'euphorie s'empara du navire. Le mousse qui le premier avait crié « terre » gagna, selon la coutume, une chemise neuve, les passagers s'embrassaient en riant et je suppose que les officiers burent un verre d'eau-de-vie pour fêter notre arrivée à bon port.

Quant à nous, on nous confina dans la soute sans doute pour respecter les consignes et aussi prévenir toute tentative d'évasion. Héloïse, confuse que l'on nous traite ainsi, vint me souhaiter bonne chance et me promit que notre amitié se poursuivrait sur le sol canadien.

— En cas de besoin, demandez l'étude de maître Eugène Dunoyer à Québec. Je n'oublie pas votre missive... Elle sera sur le premier navire en partance pour la France.

Je la remerciai. Je retins à grand-peine mes larmes, car j'étais chagrine de quitter une amie, qui était aussi mon seul lien avec Anne.

La perspective de ce qui nous attendait réveilla tout soudainement, chez mes compagnes, les craintes que la vie à bord avait un peu atténuées. Certaines s'enfermèrent dans le mutisme, d'autres pleurèrent, quand d'autres se mirent à caqueter comme des poules et à éclater de rire pour un rien.

Cléonice n'était plus avec nous. Son époux avait obtenu pour elle un hamac sur le pont. Elle me manqua. Je n'avais plus vraiment d'amies parmi mes compagnes. Héloïse ne se montra plus, sans doute prise par les préparatifs du débarquement. Je me sentis terriblement seule.

Je ne vis donc rien de l'approche des côtes canadiennes. Je l'imaginais grâce aux ordres lancés par le pilote et aux cris poussés par l'équipage. Enfin, notre navire s'immobilisa non sans frottement, craquement, ballottement, et nous poussâmes toutes un soupir de soulagement. L'une d'entre nous proposa que nous chantions un *Gloria* pour remercier Dieu de nous avoir protégées tout au long de cette traversée. L'émotion fit trembler nos voix car nous savions notre séparation inéluctable.

Aux bruits qui nous parvenaient, nous suivîmes le déchargement des passagers et de leurs malles dans des chaloupes qui allaient remonter le Saint-Laurent jusqu'à Québec. Les gros vaisseaux étaient obligés de jeter l'ancre à quelques encablures du port, car l'eau n'y était pas assez profonde pour les accueillir.

J'attendis en vain qu'Héloïse vienne me saluer. Je supposais qu'on lui avait interdit l'accès de notre soute. Je n'osais imaginer que, emportée par la joie de mettre pied sur une nouvelle terre, elle m'avait déjà rayée de sa vie.

Enfin, après plusieurs heures, alors que nous craignions d'avoir été oubliées, un officier nous ouvrit.

Cléonice se tenait à la cime de la passerelle. Elle me serra avec effusion dans ses bras et nous mêlèrent nos larmes sans parvenir à parler. Nos adieux furent brefs. Des gens en armes nous séparèrent sans ménagement et me poussèrent vers des chaloupes où étaient déjà entassées mes compagnes. J'adressais à Cléonice un signe de la main. Nous reverrions-nous un jour ?

Après une demi-heure de navigation sur le fleuve, où le spectacle sauvage et rude des berges nous dérouta, nous débarquâmes à notre tour sur le sol canadien.

Il y avait foule sur le quai. Surtout des hommes. Et nous fûmes stupéfaites de constater qu'ils étaient là pour nous ! À notre approche, ils sortaient des tavernes alentour, lançaient des plaisanteries, faisaient des commentaires. Ils se bousculaient pour mieux nous voir, rouspétaient que nous n'étions point assez nombreuses et même s'injuriaient pour des motifs inconnus.

J'essayais de rester digne. Cependant à la pensée d'appartenir à l'un d'entre eux, mon sang se glaça.

En rangs serrés, protégées par les gardes et entourées par la masse de nos prétendants curieux et bavards, nous atteignîmes un couvent. Ma première réflexion fut : « Encore une prison ! » mais finalement, je n'étais point fâchée d'échapper à la horde masculine.

Les religieuses nous accueillirent sans chaleur. Nous eûmes droit à un discours où l'on nous exhorta à saisir l'opportunité qui s'offrait à nous de quitter définitivement le péché et de devenir de bonnes épouses et de bonnes mères. Après quoi, on nous conduisit vers une salle où dans de grands baquets d'eau nous nous débarrassâmes de la vermine et de la crasse. Il y eut beaucoup de rires et c'est avec délectation que je trempai dans l'eau tiède. J'avais l'impression de renaître à la vie. La saleté que nous avions endurée pendant ce voyage avait été une épreuve de plus, car, à Saint-Cyr, nous étions toujours propres. On nous distribua un jupon et une chemise de toile blanche, une jupe et un bustier de toile grège lacé devant, des bas. Puis, dans l'immense réfectoire, on nous servit une soupe chaude agrémentée de morceaux de viande et d'une tranche de pain. Nous nous régalâmes. Ce repas ajouta à la bonne humeur ambiante.

Deux semaines de ce régime agréable firent de nous des demoiselles plus avenantes qu'à notre arrivée, nos gorges se remplirent, notre teint s'éclaircit et notre chevelure gagna en brillance.

Un après-dîner, les religieuses nous répartirent en trois groupes sans que nous connaissions les critères de leur choix, car, dans mon groupe, il y avait des filles plus jeunes que moi, d'autres plus âgées, des blondes, des brunes, des rousses, des grandes, des petites, des grasses et des maigres.

— On va nous présenter nos futurs époux, annonça une demoiselle de mon groupe.

Je le supposais aussi, bien qu'aucune annonce ne nous ait été faite.

La porte s'ouvrit et une trentaine d'hommes se bousculèrent en jurant et criant pour entrer plus rapidement. Effrayées, nous nous tassâmes dans le fond de la pièce. Les religieuses, débordées par la situation, calmèrent quelque peu cette troupe hurlante par de sages paroles. Ils s'arrêtèrent à deux pas de nous, nous reluquant, nous jaugeant, nous évaluant comme s'ils étaient à la foire pour acheter une vache. C'était tout à fait désagréable. Plusieurs d'entre nous éclatèrent en sanglots. Leur rêve de rencontrer le prince charmant en terre canadienne s'effondrait.

Les religieuses nous ordonnèrent de nous aligner afin que ces messieurs puissent mieux nous voir.

Ils passèrent alors devant nous, nous saisissant le bras pour le tâter, évaluant d'un coup d'œil la largeur de notre bassin afin de savoir si nous serions aptes à porter leurs nombreux enfants, nous regardant sous le nez pour juger de notre teint et peut-être de notre haleine. Aucun ne nous demanda de réciter un poème ou de chanter. Ils n'avaient pas besoin de femmes instruites. Aussi, je me sentis tout à fait dévalorisée, car je n'étais point grasse et n'avais aucun des attributs qui plaisent aux hommes. Mes cheveux n'étaient pas encore assez longs et mon teint malmené par le voyage, n'était point clair. Mais il est vrai que nous étions toutes à peu près dans le même état.

Lorsque l'homme avait fait son choix, il prenait sans plus de façon la fille par la main, et s'avançant vers une religieuse, il lui annonçait :

— Je prends celle-là.

Elle le notait alors sur son registre et le couple ainsi formé passait dans une autre pièce. Mes compagnes partaient les unes après les autres. Nous n'étions plus que trois face à cinq prétendants qui hésitaient. Je me mis à prier pour n'être point choisie, car je n'avais aucune attirance pour les cinq rustres présents. Peut-être y aurait-il un gentilhomme lors d'une prochaine présentation ?

Las, après m'avoir tourné autour plusieurs fois, avoir hésité, être parti vers l'une de mes compagnes, l'un d'entre eux s'arrêta devant moi. Il devait avoir dans les quarante ans, était petit, râblé, le poil noir et dru. Je me raidis et lui montrai mon plus vilain visage afin qu'il s'éloigne, mais il lança à la religieuse.

— J'prends celle-là. Elle manque de tétons, mais elle semble résistante... Et puis les autres ont choisis les plus grasses dont on dit qu'elles résistent bien au froid. Alors si j'veux pas laisser échapper la prime, faut que j'me marie.

— Quel est votre nom ? demanda la religieuse en plongeant sa plume dans l'encre.

— Léon Gardiner. Et elle ?

Je ne laissai pas le temps à la religieuse de répondre à ma place. J'étais déjà assez humiliée d'être traitée comme un animal et je lâchai :

— J'ai nom Gertrude de Crémainville.

— Grand Dieu ! jura-t-il, une fille de la haute ! Si on m'avait dit un jour que je fricoterais avec la noblesse... vrai, quelle revanche pour un simple soldat de Sa Majesté !

Content de lui, il se tapa sur les cuisses en s'esclaffant.

Sa familiarité ne me prêta pas à rire. Je pensais à la honte qu'éprouveraient mes parents s'ils avaient connaissance de cette mésalliance, eux qui avaient espéré en m'inscrivant à Saint-Cyr que j'épouserais un gentilhomme de la cour. Et je pensais aussi à ma douce Anne. Je remerciais Dieu qu'elle n'ait point à subir une pareille infamie. Ma vie prenait une tournure qui ne me plaisait pas. Une fois de plus, je n'étais qu'un jouet entre les mains du destin. Parviendrais-je un jour à orienter le cours de ma vie selon mes désirs et non ceux des autres ?

Nous passâmes à notre tour dans la pièce à côté. Le notaire nous fit signer notre contrat et nous dit :

— M. le gouverneur général vous attend dès demain pour vous remettre votre dû.

Puis dans la chapelle attenante, un prêtre bénit notre union. Le tout ne dura pas plus de vingt minutes. Il n'y eut ni fleur, ni musique, ni aucune amie pour me féliciter ou m'encourager. Je revis le mariage si émouvant de Cléonice et je refoulai les larmes qui menaçaient d'inonder mes joues.

Le sieur Gardiner se tourna vers moi et son visage s'éclaira d'un sourire édenté :

— Ben, voilà une bonne chose de faite !

Il dut se rendre compte que je ne partageais point son enthousiasme, car il ajouta d'un ton peu amène :

— T'aurais tort de faire la fine bouche. Parce que bien que tu sois de la noblesse, si t'es ici, c'est que t'as tâté de la prison... Mais j'suis bon prince et j'veux pas en connaître le motif.

Le tutoiement me heurta. Il était vraiment le signe que j'épousais un homme de basse condition. Jamais je n'avais été tutoyée, ni par mes parents, ni par les dames de Saint-Cyr, ni même par mes camarades. Je le remerciai cependant du bout des lèvres. Il s'emporta :

— T'étais pas la plus grasse, ni la plus jolie, et j'aurais pu te laisser croupir dans ce couvent, alors quitte cette face de carême !

J'aurais préféré qu'il m'y laissât, mais afin de ne point aviver sa colère, je lui accordai un souris.

— Ne crois pas que t'épouses un miséreux, reprit-il. J'ai obtenu une tenure[1] et nous aurons une vache, un cochon, une truie, une poule, un coq et onze écus. Dans ce pays-ci tout est fait pour aider les jeunes mariés à s'établir.

Ainsi, voilà pourquoi tant d'hommes se précipitaient pour obtenir une épouse ! Non seulement on leur offrait une femme pour leur plaisir, pour qu'elles tiennent leur maison et leur fassent des enfants, mais en plus ils y gagnaient une terre et des animaux !

J'étais écœurée.

Le lendemain, Léon vint me chercher de bonne heure. Sans plus de façon, il me saisit la main pour

1. Terre à cultiver.

nous rendre sur une place où d'autres couples attendaient leur dû. Lorsque ce fut notre tour, Léon rouspéta : Sa vache était vieille, sa truie trop maigre et sa poule déplumée. Mais personne ne prit en compte ses remontrances et nous quittâmes le foiral. Je portais dans une cage de bois la poule et le coq et je tirais la vache. Léon s'occupait de faire avancer la truie et le porc.

— Où va-t-on ? lui demandai-je.

— Chez nous, me répondit-il. J'ai déjà construit la maison. Et y'a pas beaucoup de gars qui en ont une, tu peux m'en croire !

Naïvement, j'imaginais une belle demeure dans l'une des rues de Québec, où je pourrais recevoir Cléonice et Héloïse.

Nous n'avancions pas vite, car le porc s'arrêtait sans cesse pour fouiller le sol de son groin et la vache que je tenais par le licol broutait l'herbe du chemin.

— Tire ! Tire ! me commandait Léon.

La cage contenant la poule et le coq pesait à mon bras gauche, et j'avais beau m'arc-bouter pour faire avancer l'animal, il me résistait. Léon pestait, lâchait un instant des yeux son cochon et venait taper sur les flancs de la vache qui consentait à faire quelques pas, mais pendant ce temps, la truie et son compagnon s'étaient éloignés.

Nous marchâmes six jours, nous arrêtant seulement à la nuit tombée. Là, nous mangions un morceau de pain. Léon s'abreuvait au goulot d'une bouteille de vin qu'il n'avait pas oublié d'emporter, alors qu'il n'avait pas prévu d'eau. Fort heureusement, je trouvais toujours un ru pour me désaltérer, me rafraîchir le visage et les mains. Malgré la fatigue, nous ne dormions que d'un œil, car nous devions surveiller nos animaux de peur qu'on ne nous les vole pendant la nuit ou qu'ils ne prennent l'escampette[1]. Je gardais la cage contenant les volatiles contre mon flanc et je tenais le licol de la vache. Léon s'attachait les chevilles avec une corde reliée aux porcs. Et comme les animaux bougeaient beaucoup, nous étions réveillés souvent. Léon s'agaçait, grognait, ronflait parfois, mais il ne me toucha pas, préférant sans doute une situation meilleure pour consommer notre mariage.

Enfin, après avoir traversé des étendues de terre vierge, j'aperçus, dans le lointain, une cabane.

— On arrive ! m'encouragea Léon.

Quoi, c'était donc là sa maison ? Une cabane plantée au milieu d'une plaine et pas d'autres habitations à l'horizon !

1. Maintenant on dit « prendre la poudre d'escampette ». L'expression vient du vieux mot « escamper » qui signifie fuir.

— Y'avait plus un arpent de libre à proximité du village, mais du coup, j'ai eu plus de terre et c'est ça qui compte !

La gorge nouée, je lui demandai :

— Le village est loin ?

— Deux lieues[1] tout au plus.

— Deux lieues !

— Quelle importance ! Nous n'irons pas tous les matins ! Nous devons nous suffire à nous-même. J'irai au village vendre le surplus une fois par semaine.

La perspective de vivre sur ce lopin de terre loin de tout, avec Léon pour seule compagnie, me terrorisa. C'était une forme d'emprisonnement aussi difficile à supporter que la prison des Madelonnettes.

1. Une lieue = 4 km environ.

CHAPITRE

11 BIS

Anne

Le roi est venu nous rendre visite. Quel honneur et quel bonheur de le voir !

Il ne change pas. Il est toujours aussi grand, aussi majestueux, aussi doux malgré le poids des ans et la terrible bataille de la Hougue qui l'a si cruellement affecté. Nous avions pourtant prié pour la réussite de cette entreprise, mais la France y subit une défaite et y perdit de nombreux navires et beaucoup de valeureux soldats[1].

Il arriva à l'improviste, se faisant juste annoncer par un trompette et six mousquetaires qui mirent notre maison en émoi. Nous nous inquiétâmes de savoir si nos coiffes étaient suffisamment empesées,

1. Lire *Un corsaire nommé Henriette.*

nos jupes point trop froissées, nos bas bien tirés, et nous nous aidions mutuellement à remettre de l'ordre dans notre tenue pourtant toujours rigoureusement impeccable. Mais un faux pli, une tache, un accroc auraient déshonoré notre maison.

Comme c'était l'heure des vêpres, on se rendit à la chapelle où on nous fit rapidement répéter nos chants. Nous les savions sur le bout des doigts, mais il est toujours à craindre que l'émotion nous fasse oublier le texte.

Lorsque Sa Majesté pénétra dans le lieu saint, le silence se fit instantanément et je crois que chacune de nous mesura la chance qu'elle avait d'être si proche d'un prince que toute l'Europe et même le monde entier nous envient.

Nous entonnâmes le chant d'ouverture qui célébrait sa gloire et sa piété de toute la force de nos poumons et avec tant de sincérité que les larmes me montèrent aux yeux.

À la fin de l'office, nous fûmes toutes réunies dans la salle de la communauté où le roi eut la grande bonté de nous adresser la parole.

— Je suis très satisfait de la manière dont vous avez chanté et de la gravité de la cérémonie.

— C'est parce qu'elles le font tous les jours qu'elles y réussissent si bien, affirma Mme de Maintenon. Il n'en irait pas de même si elles ne le faisaient que par extraordinaire et pour se faire admirer.

— Il ne faut jamais, dit le roi, se bien acquitter d'aucune de ces choses extérieures qui regardent le culte de Dieu, parce qu'elles doivent être vues, mais uniquement pour le glorifier et l'honorer et parce que l'on est en sa présence[1].

Sur un claquement de mains de la supérieure, nous plongeâmes dans une révérence parfaite pour signifier au roi que nous avions compris la leçon et que nous le remercions profondément d'avoir eu la bonté de s'adresser à nous.

Il quitta la pièce et nos nerfs, tendus à l'extrême, se détendirent.

1. Phrase exacte prononcée par Louis XIV.

CHAPITRE

12

Gertrude

La maison, comme l'appelait Léon, était en planches mal jointes. Une seule pièce au sol de terre battue, avec une porte, une fenêtre et une cheminée de pierre. Pour tout mobilier : une table, un banc, un coffre et un lit au matelas de fougères. Pour tout ustensile, un chaudron, deux assiettes en métal, deux gobelets et des cuillères de bois et deux coutelas.

— J'ai tout fait de mes mains ! m'annonça-t-il fièrement.

C'était, il faut bien le reconnaître, un travail convenable et qui avait dû lui demander du temps et des efforts. Seulement, je ne m'étais jamais imaginé que je vivrais un jour dans cette sorte d'habitation et cette perspective me déconcertait.

Il me prit par la taille et me souffla à l'oreille :

— Tu verras, ici tu seras pas malheureuse.

Je me raidis. Je n'étais point habituée à ces sortes de familiarités. Jamais aucun homme ne m'avait tenue ainsi dans ses bras. Lorsque, mes camarades de Saint-Cyr et moi, nous évoquions notre futur époux, aucune n'avait envisagé qu'il pût être un homme sans éducation et sans noblesse. Nous l'imaginions parfois vieux, mais toujours poli, courtois, nous emmenant dans son château.

Je n'étais donc pas prête à vivre avec un rustre dans une cabane de planches.

Cependant, je n'avais pas le choix et je crus préférable d'accepter mon sort de bonne grâce afin de ne pas envenimer mes relations avec Léon. Au fil des jours, j'apprendrais à le connaître et peut-être parviendrais-je, sinon à l'aimer, du moins à l'estimer. Des enfants viendraient couronner notre union, d'autres couples s'installeraient à proximité et la vie deviendrait supportable.

Léon parlait peu. Il ne m'expliqua rien du travail de la ferme. Il pensait que je le connaissais.

Le premier jour, il se leva, s'habilla et partit. Je crus m'acquitter de ma tâche en nettoyant le sol, en puisant de l'eau au puits, en allant tapoter les flancs de la vache qui broutait dans le pré attachée à un pieu, en observant les cochons qui se vautraient dans la terre boueuse de leur enclos et en regardant la poule et le coq picorer les graines sauvages. Étonnée qu'il ne paraisse pas à l'heure du dîner, je partis à sa recherche. Je le trouvais en train de retourner à la bêche une parcelle de terre. Il m'accueillit en grognant :

— Ah, si seulement j'avais une paire de bœufs pour labourer !

Puis il enchaîna :

— Tu m'apportes le repas ?

— Heu... non. Il n'y a rien dans le garde-manger et je venais pour...

Il s'emporta :

— Rien dans le garde-manger ? Et tu attends quoi pour le remplir ?

— Avec quoi ?

— Avec quoi ? s'étrangla-t-il... mais y a le lait de la vache, l'œuf de la poule, les herbes sauvages, les fruits des haies... et t'as même un sac de farine !

Je rougis. J'ignorais comment traire une vache, je ne connaissais ni les herbes ni les fruits sauvages. Il m'attrapa le bras et hurla :

— Ne me dis pas que tu n'as pas trait la vache !

Je restais muette.

— Ainsi, tu sais rien faire. Rien de rien. Mais qu'est-ce que je vais devenir avec une fille comme toi ! Ah, mademoiselle sait lire, écrire, compter, chanter, jouer du clavecin et danser... mais à quoi ça sert dans un pays comme cestui !

Au lieu de m'affaiblir, sa colère me fit redresser la tête et je le toisais, refusant de me laisser humilier.

Il poursuivit :

— Sais-tu au moins que les vaches donnent du lait, les poules des œufs, et que la nature nous procure de quoi cuire une soupe... encore faut-il être capable d'allumer un feu !

Je l'avais lu autrefois dans les livres, mais de la théorie à la pratique il y avait un gouffre que je n'avais pas franchi. Son ton ironique me blessa et je répliquai sèchement :

— Apprends-moi.

— C'est ce que je vais faire et t'as intérêt à apprendre vite, j'ai pas de temps à perdre !

Il me montra comment traire la vache que j'avais baptisée Coquette et comment repérer l'endroit où pondait la poule. Il m'apprit à reconnaître le poireau sauvage, la carotte, l'épinard, et à cueillir dans les haies les baies de sureau, les mûres, les pommelles.

Mes journées se trouvèrent ainsi remplies de l'aube à la nuit.

Je cuisais dans la cheminée une soupe d'herbes odorante dans laquelle, le soir venu, on trempait du pain sec. On buvait le lait de notre vache et l'on mangeait les œufs de notre poule. Léon défrichait une partie de la forêt pour avoir du bois l'hiver et aussi pour pouvoir agrandir la maison lorsque nous aurions des enfants. Il labourait pour semer à l'automne une graine orange que l'on appelait ici le blé d'Inde[1]. Il fauchait aussi l'herbe que je retournais à la fourche pour la faire sécher, puis je formais des meules que j'alignais dans le champ.

Mon seul plaisir m'était donné le matin par la nature lorsque j'ouvrais la porte sur les champs, les bosquets, les prairies et que je surprenais un daim broutant l'herbe, un écureuil sautant d'une branche ou un lapin détalant sous un taillis. J'avais si longtemps eu pour tout horizon les murs de Saint-Cyr ou de la prison que cet espace infini me ravissait et me donnait le sentiment que j'étais libre... même si je ne l'étais point autant que je l'aurais souhaité.

Le soir, après le repas, Léon s'endormait d'un coup sur notre paillasse, vaincu par la fatigue. Moi, j'étais plus longue à trouver le repos. Je me demandais si je saurais me satisfaire de cette vie de labeur sans joie, sans affection. J'espérais que bientôt je donnerais naissance à un enfant qui comblerait

1. Le blé d'Inde est le maïs.

mon besoin de tendresse. Si c'était une fille, je l'appellerais Anne.

Quelques jours après notre installation, j'accompagnais Léon à Neuville. Nous fîmes la route à pied en deux heures. Jamais je n'avais marché aussi longtemps et j'étais épuisée. Lui était tout gaillard. Il me promena fièrement à son bras dans l'unique rue, bordée de maisons de bois plus grandes et plus belles que la nôtre.

Nous pénétrâmes dans la seule boutique du village, qui vendait du grain, des épices, des ustensiles de cuisine, du tissu, des souliers, de la corde, du cuir... Tandis que Léon soupesait les haches, j'admirais les étoffes.

— Ce coupon arrive à l'instant, c'est ce qui se porte à Versailles, m'affirma la marchande.

Ayant été, dès mon plus jeune âge, habillée par la maison de Saint-Cyr, je n'avais encore jamais eu l'occasion de choisir un tissu à mon goût, et celui-ci me fit briller les yeux de convoitise. Léon s'en aperçut et, me tirant par le bras à l'extérieur de la boutique, il me dit sèchement :

— Tu as ce qu'il te faut pour travailler à la ferme.

Nous nous dirigeâmes ensuite vers l'église édifiée sur une place entourée d'arbres maigrichons.

Léon me proposa :

— Va te présenter au curé. C'est la règle. Moi, je vais boire un godet à la taverne. Ça aussi c'est la règle. Il faut montrer qui on est.

Lorsque j'entrai dans le lieu saint, le prêtre était en train d'arranger la nappe blanche et finement brodée sur l'autel. En entendant mes pas, il se retourna.

— Bienvenue dans la maison de Dieu, mon enfant.

Le père Joseph me fit parler de moi. Je lui contais tout. Il ne me jugea pas sévèrement et me bénit. Je quittais l'église rassérénée.

J'attendis Léon sur le perron ensoleillé. Une heure s'écoula. Je n'osais pas aller le chercher, certaine que cela lui déplairait. Je m'assis sur un banc de bois installé sur le côté de l'édifice et mon esprit vagabonda : je pensais à ma chère Anne, si loin de moi, et je priais pour que nous soyons un jour rapprochées. Je pensais aussi à Cléonice et à Héloïse à qui j'espérais rendre visite bientôt. Plusieurs hommes sortirent de la taverne, mais ce n'était jamais Léon. Que faisait-il ? M'avait-il oubliée ? Était-il rentré à la ferme sans moi ? Était-il malade ?

Soudain, la porte s'ouvrit sur un homme titubant : c'était lui ! Il manqua la dernière marche et roula dans la poussière. Je me précipitais pour l'aider à se relever. Il se cramponna de tout son poids à mon épaule et parvint à se redresser.

— Femme, rentrons chez nous ! balbutia-t-il.

Le retour fut une dure épreuve.

Il s'appuyait sur moi, trébuchait, tombait, m'insultait. J'avais beaucoup de mal à le remettre sur pied et à le soutenir, car il était lourd et m'entraînait chaque fois dans sa chute, ce qui le faisait jurer de la plus vilaine façon.

À une demi-lieue du village, je sentis qu'il nous serait impossible de regagner la maison avant la nuit. Je le tirai sous un arbre afin qu'il puisse dormir et se dessoûler.

J'étais anéantie. Non seulement j'avais épousé un homme âgé qui n'était pas de ma condition, j'étais au bout du monde loin de ma famille et de mes amies, je vivais dans une cabane sans confort, je n'avais pas un sou, mais en plus Léon était un ivrogne qui dépenserait notre argent dans la boisson.

Continuerais-je à payer indéfiniment ma faute ? Dieu n'allait-il pas avoir pitié de moi ? M'autoriserait-il un jour à vivre un peu de bonheur ?

Au matin, je grelottais de froid, d'angoisse et de fatigue.

Il se réveilla et s'étira comme si rien ne s'était passé.

— Ah ! J'ai bien dormi ! Maintenant, faut y aller, y'a du travail !

Et nous reprîmes notre marche jusqu'à la maison.

CHAPITRE

12 BIS

Anne

Mon existence se poursuit toujours aussi monotone.

Parfois je m'en satisfais, me persuadant que je suis destinée à prendre prochainement le voile pour servir Dieu le restant de mes jours, parfois je bous intérieurement en m'imaginant une autre vie semblable à celle de Charlotte, Hortense, Louise, Éléonore, Henriette, à l'extérieur de ces murs. J'ignore ce qu'elles sont devenues et je donnerais cher pour le savoir, mais je parierais que leur vie a plus de saveur que la mienne.

À Saint-Cyr, le plus petit incident ou événement devient un motif de distraction. Ainsi, hier eut lieu une cérémonie où Mme de Maintenon fut nommée supérieure à vie de notre maison. L'église était décorée de guirlandes de fleurs et de bouquets que nous avions confectionnés la veille. Nous chantâmes les cantiques habituels et d'autres appris pour la circonstance. Jeanne eut l'immense privilège de lire un petit compliment que nous avions écrit à l'intention de notre bienfaitrice, laquelle nous remercia d'une voix émue.

M. Godet des Marais officia. C'est le seul point noir de ces réjouissances, car aucune de nous ne parvient à se faire à son profil d'aigle et à ses petits yeux qui nous fouillent jusqu'au fond de l'âme.

Au cours de la cérémonie fut remise à Mme de Maintenon une croix d'or portant un crucifix en relief. Au dos, une phrase écrite spécialement par M. Racine était gravée. Elle disait avec des mots choisis ce que chacune d'entre nous pensait :

Elle est notre guide fidèle.
Notre félicité vient d'elle.

Il y avait eu, je suppose, entre nos maîtresses et Mme de Loubert, notre supérieure, de longues discussions pour savoir comment offrir ce présent à Mme de Maintenon et surtout qui devrait le lui remettre. Finalement, le chef de bande, la plus méritante de chaque classe, fut choisi. Nous étions donc quatre : celle de la classe rouge, celle de la classe verte, celle de la classe bleue. J'eus l'honneur d'être désignée pour représenter la classe jaune[1].

1. Pour en savoir plus sur le mode d'éducation à Saint-Cyr, lire *Les Comédiennes de monsieur Racine.*

Nous tenions chacune un coin du carreau sur lequel la croix d'or, étincelante sous la lumière des bougies et des torches, était posée. Le moment venu, nous nous avançâmes vers Mme de Maintenon, assise, le dos bien droit, sur une chaise placée à côté de l'autel. Nous avions toutes les quatre longtemps répété afin de pouvoir marcher d'un même pas, puis de nous agenouiller ensemble sans laisser choir le bijou. Néanmoins, mes jambes tremblaient et je fus fort soulagée lorsque nous posâmes un genou en terre devant notre bienfaitrice, le carreau parfaitement droit.

M. Godet des Marais s'empara de la croix et, le visage humblement incliné, il la remit à Mme de Maintenon. Elle l'accepta et affirma qu'à l'heure de sa mort elle voulait que l'on se souvienne d'elle comme de la supérieure de Saint-Cyr, que tout le reste n'était que vanité. Elle promit de porter toujours cette croix afin de montrer à tous l'attachement qu'elle avait pour nous, ses filles.

Lorsqu'elle prononça le mot « fille », les larmes me montèrent aux yeux.

CHAPITRE

13

Gertrude

Trois mois de ce régime-là m'avaient transformée.

Je n'avais plus rien de la demoiselle aux mains fines, au teint blanc, à la chevelure bien coiffée de Saint-Cyr. J'avais à présent les mains coupées par les herbes, rougies par les tâches ménagères et abîmées par les travaux des champs. Mes bras et mon dos étaient constamment douloureux. Mon teint s'était hâlé et je n'avais pas le temps de m'occuper de ma chevelure, que je roulais sous mon bonnet.

Je faisais de mon mieux pour aider Léon, et après une période difficile où il n'avait cessé de me reprocher ma maladresse et mon ignorance, il s'était tu sans pour autant me faire de compliments. Je savais à présent traire la vache, extraire la crème du lait, faire du beurre, nourrir les cochons. Je m'essayai aussi à la confection des fromages comme il me l'avait montré, et, après que quelques-uns se furent effondrés, que d'autres eurent été si durs que nous ne pouvions point les couper, comme je m'acharnais à progresser, je finis par les réussir assez bien.

Je sarclai un bout de terre bien exposé au soleil et protégé des vents à deux pas de la maison pour y faire un potager. Cet exercice ne me coûta pas. Au contraire, je prenais plaisir à être au grand air, à travailler la terre, et la perspective de voir bientôt grandir ce que j'avais semé me réjouissait. J'avais demandé à Léon d'acheter au village quelques graines de thym, de menthe, d'anis, car je rêvais de reconstituer le jardin de simples[1] de Saint-Cyr, en plus petit. J'aurais aussi voulu planter quelques rosiers pour égayer le devant de la maison, mais Léon s'exclama :

— Passe encore pour les simples, bien que cela ne serve pas à grand-chose... mais dépenser de l'argent pour des fleurs, c'est non !

J'espérai que, lorsque j'aurais fait quelques connaissances, une villageoise m'enseignerait comment repiquer et bouturer les plantes, car je sentais que le jardinage allait me plaire et que je mettrais

1. Plantes aromatiques ou médicinales.

tout mon orgueil à posséder le plus beau jardin de Neuville.

Lorsque Léon était de bonne humeur, le soir, après le souper, il m'expliquait qu'au printemps nous ferions couver des œufs à notre poule et que nous aurions des poussins afin d'accroître notre poulailler. La truie nous donnerait des porcelets que nous engraisserions avant de les revendre un bon prix. Nous conduirions notre vache s'accoupler au bœuf d'un fermier voisin et neuf mois plus tard un joli veau naîtrait. Et ma foi, cela me réjouissait autant que lui. Il me conta son enfance dans le Poitou. Très jeune, avec ses nombreux frères et sœurs, il avait aidé ses parents dans les champs, si bien que la terre n'avait pas de secret pour lui. Mais ils avaient beau trimer du matin au soir, il y avait trop de bouches à nourrir et, après une année de récolte catastrophique, il se laissa convaincre par un sergent recruteur de s'engager dans l'armée du roi. Après avoir guerroyé pendant vingt ans, il s'était embarqué pour le Canada, alléché par la perspective d'avoir une terre bien à lui.

Il ne regrettait pas.

Toutes les semaines, la carriole d'un marchand de Québec s'arrêtait devant chez nous pour acheter notre beurre, notre lait et nos œufs. J'attendais toujours sa venue avec impatience. C'était notre seul visiteur. Le sieur Carco était bien vêtu, aimable et bavard. J'avais l'impression que la ville même de Québec venait jusqu'à nous.

Nous entendions venir sa carriole de loin, car ses deux chevaux étaient harnachés de clochettes. Pour le recevoir, je dépoussiérais ma jupe, j'ajustais mon bustier, j'arrangeais mes cheveux. Je ne tenais pas à ce qu'il ait de moi l'image d'une souillon. Léon en prenait ombrage :

— Perds pas ton temps à te faire belle !

Je haussais les épaules. Il ne comprenait rien aux femmes.

M. Carco nous contait quelques faits qui s'étaient déroulés en ville, puis Léon lui remettait ce que nous avions à vendre. Le marchand discutait les prix. Léon se fâchait. Mais comme ce commerçant proposait aussi dans sa carriole toutes sortes d'objets et de colifichets, Léon finissait par échanger sa marchandise contre un couteau, une scie ou une chemise. Le sieur Carco avait essayé de me vendre des bonnets bien blancs, des jupons de lin et des bas, mais Léon l'avait rabroué en assurant :

— Elle a besoin de rien !

La jupe, remise par les religieuses avant notre départ pour le Canada, était à présent déchirée, tout comme mon jupon et mes bas. Je les reprisais de mon mieux, mais une jupe et un bustier neufs m'auraient comblée.

— Plus tard, m'avait promis Léon, lorsque nous aurons vendu nos porcelets, les œufs de nos poules, et que nous aurons notre veau.

Il ignorait que, sous le prétexte d'aider le sieur Carco à porter les fromages jusqu'à sa carriole, je lui donnais une missive qu'il me promettait de remettre à Héloïse Dunoyer. Lorsqu'il revenait, il me glissait discrètement la réponse, que je lisais en conduisant Coquette dans le pré. Mes messages étaient courts. Ma vie était si terne que la lui conter l'aurait ennuyée et je me contentais de lui demander si elle avait des nouvelles d'Anne. Ses réponses étaient longues et fort agréables. Elle me décrivait l'existence d'une épouse de notable. Elle prenait beaucoup de précautions pour m'annoncer qu'elle n'avait encore aucune nouvelle d'Anne mais qu'il fallait être patiente.

Tous les dimanches, Léon et moi allions à Neuville. Moi pour assister à la messe, et Léon pour étancher sa soif à la taverne.

J'attendais ce moment avec impatience et appréhension aussi.

Je n'avais pas vraiment noué de liens d'amitié avec les femmes du village. Notre tenure était la plus isolée et j'avais l'impression que toutes les autres se recevaient à tour de rôle au cours de la semaine. Certaines entraient dans le lieu saint en bavardant et en poussant leur progéniture vêtue de frais devant elles. Les hommes accompagnaient leur épouse et, à part quelques veuves âgées, j'étais une des rares à être seule.

Le prêtre m'avait présentée à deux dames. Elles m'avaient saluée poliment, mais après avoir échangé trois mots, elles avaient rejoint leur mari qui les attendait plus loin, ou une amie, ou bien s'étaient excusées de ne pouvoir bavarder parce qu'une affaire urgente les appelait.

Il me parut que j'avais tout de la pestiférée et j'en compris rapidement le motif.

En fait, tandis que je priais à l'église, Léon buvait plus que de raison à la taverne. Une fois sur deux, il en sortait saoul, beuglant des insultes. Je n'étais donc pas une personne fréquentable. Certes, il n'était pas le seul homme à être dans cet état, mais dans ce village reculé, j'étais probablement la seule fille « à la cassette »[1], c'est-à-dire une fille de rien envoyée par le roi autant pour purger la France de ses mauvais sujets que pour peupler le Nouveau Monde.

1. On appelait « filles à la cassette » ou « filles du roi » des demoiselles orphelines ou venant de prison, à qui le roi offrait le voyage pour le Nouveau Monde (Canada ou Louisiane) et une dot dès qu'elles s'y mariaient.

Un dimanche pourtant, alors que j'attendais une fois encore Léon sur le perron de l'église, une jeune femme s'approcha de moi. Elle était très brune, avait un teint hâlé, portait une jupe de peau et des mocassins aux pieds.

— Bonjour, me dit-elle d'une voix chantante, je m'appelle Margot, et toi ?

— Gertrude.

— Tu attends ton mari qui est à la taverne ? Le mien aussi. Je suis du peuple huron de par-delà les collines. Et toi ?

Son tutoiement m'étonna mais ne me choqua point, car je sentis qu'il n'était pas dû à un manque de respect ou de politesse. Simplement nos cultures étaient différentes et dans la sienne le tutoiement devait être l'usage. Et puis, j'étais si heureuse de rencontrer quelqu'un de mon âge que je lui répondis avec entrain :

— Je viens d'un pensionnat de demoiselles à côté de Versailles.

— Versailles ! s'exclama-t-elle, là où vit votre roi ?

— Oui.

— Il paraît qu'il habite un palais merveilleux avec des portes en or, des miroirs partout, et qu'il s'éclaire avec des milliers de chandelles !

— En effet.

Elle rit et poursuivit :

— Moi, j'ai vécu avec mon clan, le clan de l'Ours, dans notre grande case en rondins de bois jusqu'à mon mariage, il y a douze lunes !

Sa voix était joyeuse et nullement assombrie par le regret, aussi lui demandai-je :

— Votre mari est indien ?

— Non. C'est un soldat blanc. Un officier. Mon père m'a donnée à lui pour le remercier d'avoir sauvé notre village de l'attaque des Iroquois, nos ennemis. C'est le chamane qui le lui a commandé.

Cette pratique ne me heurta pas vraiment. Après tout, en France, nous étions, nous aussi, la plupart du temps, mariées à un époux vieux et riche pour assurer l'avenir de notre famille ou à un gentilhomme titré afin d'obtenir une place à la cour. Et même si les mariages d'amour nous faisaient rêver, ils étaient rares. En une fraction de seconde, il me revint à l'esprit les conversations que mes camarades et moi avions le soir dans le dortoir de Saint-Cyr sur notre destinée... et j'aurais bien voulu savoir laquelle d'entre nous avait fait un mariage d'amour.

— Je ne suis pas malheureuse, Jean-Louis est gentil, mais il aime le jeu. Je déteste les dimanches, car sous prétexte de m'accompagner à l'église où j'ai été baptisée depuis peu, il va à la taverne jouer aux cartes et perdre de l'argent.

Que cette jeune femme, que je ne connaissais pas quelques minutes auparavant, m'ouvre ainsi son cœur me fit du bien.

Je me sentis en confiance avec elle et, à mon tour, je lui avouai :

— Léon n'est pas joueur... enfin, je ne crois pas... hélas, à la taverne, il se laisse entraîner à boire plus que de raison.

Elle m'adressa un souris compatissant et poursuivit :

— Je crois que nous avons beaucoup de points communs. Les gens d'ici ne m'aiment pas. Je suis indienne et donc une ennemie, et mon mari, parce qu'il m'a épousée, n'est pas bien considéré. Quant à vous, j'ai bien vu que les femmes du village vous évitaient.

Je soupirai.

— Alors, soyons amies ! reprit-elle.

— Avec plaisir, Margot !

Me serrant vigoureusement la main, elle ajouta d'un ton solennel :

— Unissons nos deux destinées et, comme le font les hommes de mon peuple lorsqu'ils trouvent un frère qui n'est pas de leur sang, juronsnous assistance et protection !

Je ne savais comment réagir. Cependant, je sentis que, pour elle, il ne s'agissait pas d'un jeu, mais d'un engagement profond.

Aussi, je répétai avec application :

— Je vous jure assistance et protection.

— Moi aussi, je te jure assistance et protection.

Elle m'avait si fort pressé les doigts qu'ils en étaient devenus rouges et douloureux, mais en la quittant, j'avais l'esprit plus léger.

CHAPITRE

13 BIS

Anne

J'ai encore du mal à le croire et je serre contre mon sein le précieux courrier en priant le Seigneur qu'il ne me soit pas arraché par une maîtresse, car, encore une fois, j'ai enfreint le règlement.

La journée avait été comme les précédentes, monotone, et aucun signe ne m'avait prévenue du bouleversement que j'allais subir.

Nous sortions des vêpres où j'avais prié, à l'accoutumée, pour le roi, la France et les pauvres du royaume.

Marguerite de Caylus, qui avait assisté à l'office comme elle le faisait souvent, s'approcha de notre maîtresse.

— Ma tante[1] m'a chargée d'un pli pour Mlle de Castillon. Il vient d'un de ses oncles qui souhaite la coucher sur son testament.

Je levai un regard interrogateur vers Mme de Caylus. Un oncle ? Je n'en avais qu'un et il ne m'avait jamais manifesté le moindre intérêt. Qu'il se souvienne de moi à l'heure de son trépas m'étonnait, mais après tout, pourquoi pas ?

Notre maîtresse m'autorisa à sortir du rang. Marguerite me guida jusqu'au bureau de Mme de Maintenon, dont elle poussa la porte.

— Ma tante n'est pas là ce jour d'hui, m'annonça-t-elle.

Puis, posant l'index sur sa bouche, elle poursuivit :

— Bien entendu, pas un mot sur la fable que je vous ai servie. Cette lettre m'a été remise par un ami, Augustin de Trimont, qui la tient de sa belle-sœur Héloïse qui partait pour Québec.

— J'ignore qui sont ces personnes, dis-je, soudain sur la défensive.

Le mot « Québec » me mit en émoi. Des rumeurs avaient circulé jusque dans notre maison au sujet de jeunes filles que l'on envoyait plus ou moins de force peupler le Nouveau Monde et je n'avais pas envie d'en être. Elle perçut ma réticence et, me prenant par le bras, elle me dit doucement :

1. Mme de Maintenon était la tante de Marguerite de Caylus.

— N'ayez aucune crainte. Lisez cette lettre et vous comprendrez.

Elle me tendit le pli. Je n'en connaissais ni l'écriture ni le cachet imprimé sur la cire rouge.

J'hésitais. Je commençais juste à retrouver le calme et je craignais soudain que ce courrier vienne me tourmenter.

Elle m'encouragea d'un mouvement de tête. Je cassais le sceau de cire et dépliais la feuille. Je reconnus immédiatement l'écriture. Gertrude ! Enfin ! Où était-elle ? Que faisait-elle ? Comment connaissait-elle tous ces gens ? J'étais si abasourdie que, la lettre ouverte dans ma main tremblante, je regardai Marguerite, qui s'impatienta :

— Lisez, mais lisez donc !

Les yeux humides d'émotion, je commençai ma lecture :

Chère amie,

Lorsque vous lirez cette lettre, je serai arrivée dans la province du Québec et je serai probablement mariée puisque c'est le but de ce long voyage. Je n'en suis point mécontente. Je préfère la liberté, même avec un homme que je n'ai pas choisi, à la vie en prison. Pour moi c'est le début d'une nouvelle existence. Seule la distance immense qui maintenant nous sépare est la cause de mon chagrin. Mon amitié pour vous est toujours aussi forte et je prie

Dieu chaque jour pour qu'il accomplisse le miracle de nous réunir au lieu de nous éloigner.

Pour l'heure, avoir de vos nouvelles me comblerait. Aussi, si vous ne m'avez point oubliée, je vous serai reconnaissante de donner un bref message à Mme de Caylus qui me le fera parvenir. Cependant, je vous supplie d'être très prudente, car je ne supporterai pas que vous soyez punie pour avoir osé m'écrire.

Sur le navire j'ai fait la connaissance d'Héloïse, la sœur de notre amie Charlotte, et c'est grâce à elle et au cousin de mon mari, Augustin de Trimont, que vous avez ce billet.

— Bonnes nouvelles ? m'interrogea Marguerite.

— Fort bonnes en effet, lui répondis-je avant de poursuivre :

Adieu, ma très chère amie, portez-vous bien et comptez sur ma tendresse qui ne finira jamais. Votre Gertrude.

Afin qu'elle ne me juge pas ingrate, je lui tendis la feuille. Elle la parcourut rapidement.

— Gertrude a du cœur et du tempérament. Elle mérite le bonheur et je suis heureuse de pouvoir vous aider toutes les deux.

Elle me rendit la lettre et je la cachai rapidement dans mon bustier. Mme de Caylus s'approcha de la fenêtre et demeura immobile, comme absorbée par ses pensées, tout en contemplant le jardin. Je ne savais si elle mettait ainsi fin à notre entretien et si je devais sortir ou attendre qu'elle m'en donne l'autorisation.

Brusquement, elle se retourna vers moi.

— Augustin de Trimont est un gentilhomme qui possède de grandes qualités de cœur.

Cette annonce était pour le moins incongrue, et prise au dépourvu, je bredouillai :

— Ah ?

— Il a refusé toutes les demoiselles qui lui ont été présentées. C'est un esprit libre et un rien aventureux.

Le rouge me monta au visage. Mme de Caylus n'était-elle pas en train de me proposer son ami en mariage ? Il devait être laid et souffreteux, sinon il n'aurait pas manqué de prétendantes. Il me revint en mémoire que Mme de Maintenon avait épousé à seize ans le poète Scarron, un nain difforme, infirme et malade, de plus de quarante ans. Je n'avais pas du tout envie de subir le même sort et je préférais la douceur et le calme de Saint-Cyr au mariage si c'était à ce prix.

Peut-être même était-ce cet Augustin qui avait chargé Mme de Caylus de lui dénicher une fraîche jeune fille à Saint-Cyr, comme le maquignon va acheter une vache sur un marché. Cela me heurta.

Cependant, il m'était difficile de montrer mon mécontentement à Mme de Caylus, car elle était mon seul lien avec Gertrude. Afin de lui être agréable, je répondis du bout des lèvres :

— Il finira bien par trouver celle qui lui convient.

— Certes, et je crois qu'elle n'est pas très loin.

Je fis la moue. Cette conversation à mots couverts me déplaisait. Elle le sentit, car elle changea brusquement de sujet :

— Écrivez une lettre à votre amie, et, lorsque je reviendrai mercredi pour les vêpres, vous me la donnerez afin qu'elle parte par le premier bateau pour le Québec.

— Je vous remercie pour votre bonté, lui dis-je en lui faisant une petite révérence.

— Oh, il me plaît de jouer les entremetteuses ! La cour vieillit, on ne s'y amuse plus comme autrefois, et s'il n'y avait pas toutes ces petites intrigues, j'y périrais d'ennui.

Je regagnai ma classe, mais j'eus beaucoup de mal à me concentrer sur mon ouvrage et mon esprit vagabonda pendant que notre maîtresse nous lisait un récit biblique. J'imaginais la vie de Gertrude dans le Nouveau Monde, je réfléchissais à ce que j'allais lui écrire et je voyais son visage s'illuminer de joie à la lecture de mon billet comme le mien s'était éclairé en lisant le sien.

CHAPITRE

14

Gertrude

Tous les dimanches, la première arrivée attendait l'autre à la porte de l'église, puis nous nous asseyions côte à côte sur un banc pour suivre la messe. À la fin de l'office, nous bavardions à l'ombre du bâtiment pendant que nos maris étaient à la taverne.

Je lui contais ma vie à Saint-Cyr, la pièce de théâtre que nous avions jouée devant le roi, les amies que j'y avais laissées, celles qui en étaient parties et surtout mon immense amitié pour Anne, cause de tous mes tourments.

Elle s'indigna :

— Chez nous, tu aurais, au contraire, été citée en exemple, car pour mon peuple, l'amitié entre deux êtres est sacrée. C'est un don des dieux et la briser est sacrilège.

Elle me parla des Hurons, de leur culture et de leurs traditions. Son véritable nom était Magena qui signifiait « Lune montante », mais le prêtre lui avait donné le prénom de baptême dont la sonorité était la plus proche. Depuis, elle essayait de se persuader qu'elle s'appelait Margot.

Elle me promit de m'offrir au printemps des graines de haricots et de courges, car, m'assura-t-elle :

— Chez nous, ce sont les femmes qui s'occupent des cultures. Ici, l'hiver dure cent quarante jours et il vaut mieux avoir des provisions ! Je te montrerai aussi comment récolter la sève de l'érable et faire le sirop. Les Blancs ne savent pas, et pourtant, c'est délicieux.

Elle m'avoua qu'adopter notre mode de vie était difficile, que sa famille lui manquait, et surtout son frère aîné de qui elle était très proche.

— Il s'appelle Nayati, ce qui veut dire « Lutteur » dans ta langue. J'aurais voulu que ce soit lui qui élève mon fils lorsque j'en aurais un.

— C'est le père qui doit élever son enfant, remarquai-je.

— Non. Chez nous, l'enfant appartient au clan de la mère et c'est donc l'oncle maternel qui l'éduque et exerce son autorité sur lui. Maintenant, je ne suis plus une vraie Huronne et je souffre d'être infidèle aux traditions de mon peuple.

Son regard se voila un instant, mais la minute d'après, elle souriait à nouveau :

— C'est la joie de vivre des Hurons, m'expliqua-t-elle. Les dieux nous ont créés pour le bonheur et les décevoir entraînerait leur foudre sur nous.

Sa façon de voir le monde était, dans sa simplicité, assez rassurante et sa bonne humeur, communicative.

Quand Jean-Louis sortait de la taverne, il se dirigeait vers nous et nous échangions quelques mots. J'appris ainsi qu'il était de petite noblesse et qu'il avait été enseigne dans le régiment Carignon-Salière venu pour assurer la protection des colons contre les attaques des Iroquois. Il était arrivé à temps pour sauver un village huron encerclé par les Iroquois et le chef lui avait offert Margot pour le remercier.

— Et moi, je remercie chaque jour le ciel de m'avoir fait rencontrer Margot, car c'est une épouse parfaite, ajouta-t-il en la regardant amoureusement.

N'ayant plus d'attaches en France, il s'était installé là. C'était un gentil garçon, qui appréciait que son épouse ait une amie française.

Mais si Léon sortait le premier, je quittais précipitamment mon amie en soufflant :

— Bonne semaine, à dimanche prochain !

Lorsque Léon m'avait vue en compagnie de Margot, il m'avait grondée :

— Je t'interdis de parler à cette sauvage ! Ils n'attendent qu'une chose, nous massacrer tous et accrocher notre scalp à leur ceinture !

— Margot est du peuple huron, ce sont nos alliés.

— Tous les Indiens sont à mettre dans le même sac, j'te dis ! J'veux plus te voir avec elle !

Il avait levé la main sur moi, prêt à me battre. Il avait bu plus que de raison, comme tous les dimanches. Afin de ne point risquer de coups et de préserver notre relation, nous avions décidé, Margot et moi, d'être discrètes.

L'automne fut de courte durée et pourtant magnifique. Les arbres virèrent au jaune, au brun, au rouge. Toute la forêt flamboyait et je n'avais jamais vu si beau spectacle.

Las, les jours devinrent de plus en plus courts, un vent vif se leva, les feuilles tombèrent. Un dimanche, Margot m'annonça :

— Je crois que c'est la dernière fois que nous nous voyons de l'année. Les ours ont gagné leur tanière, signe d'un hiver précoce et froid, et ils ne se trompent jamais.

— Que non ! lui répliquai-je, le froid ne m'empêchera pas de venir bavarder avec toi.

— Ah, mon amie, tu ne connais pas encore les hivers de chez nous ! La neige va tout recouvrir et personne ne pourra quitter sa maison.

Je pensais qu'elle exagérait pour m'impressionner.

Un matin, pourtant, alors que je me levais pour allumer le feu dans la cheminée, j'eus une étrange sensation. Aucun bruit ne me parvenait de l'extérieur, la pièce était plongée dans le noir alors qu'habituellement la lumière de la lune filtrant à travers le volet mal joint guidait mes pas dans la maison. J'allumai une chandelle de suie et je promenai la flamme vers la fenêtre. Rien. Le noir. Quelque chose d'inhabituel venait de se passer. Affolée, je secouai Léon pour le réveiller. Il grogna :

— Qu'est-ce que c'est ?

— C'est tout noir et on n'entend rien !

Il se leva d'un bond :

— Seigneur ! La neige ! Ben, elle est pas en retard cette année !

— La neige ? C'est impossible, tout est sombre alors que tout devrait être blanc !

Il me regarda comme si j'étais simple d'esprit et m'expliqua :

— C'est parce qu'elle monte plus haut que la porte et cache la fenêtre !

— Plus haut que la porte ?

— Il paraît qu'ici c'est normal. Au village, on m'avait prévenu. Je pensais qu'ils exagéraient pour s'amuser à me faire peur. Et en plus, ça dure quatre mois.

— Quatre mois sans sortir ?

Il éclata de rire devant mon air ahuri.

— L'avantage, c'est qu'on aura le temps de faire un petit... jusqu'à ce jour d'hui, j'ai travaillé comme une bête et j'étais si fatigué que j'avais plus de force pour... enfin, tu me comprends...

Je ne le comprenais que trop bien et la perspective d'être dans la maison avec lui ne me réjouit pas.

Tandis que j'allumais le feu, il se munit d'une pelle et, après avoir réussi à entrebâiller la porte, il entreprit de déblayer la neige afin d'atteindre la remise contenant le poulailler, la porcherie, l'étable, la provision de bois et de foin. Lorsqu'il l'avait construite, je m'étais étonnée qu'il ne la bâtisse pas loin de la maison afin d'éviter les mauvaises odeurs.

— Quand l'hiver sera là, tu verras que j'avais raison, m'avait-il assuré.

La neige était si haute qu'il mit plusieurs heures à creuser un chemin étroit qui nous permettrait d'alimenter les bêtes.

Conseillée par Margot, j'avais acheté au colporteur de la farine de maïs et des haricots secs avec l'argent du lait.

— C'est à toi de penser aux denrées alimentaires, m'avait-elle affirmé.

Le dernier dimanche où nous nous étions vues, elle m'avait offert une courge en me disant :

— Tu la mangeras en pensant à moi. Tu peux faire sécher les graines qui sont à l'intérieur et les faire griller, c'est très bon. Les enfants de chez nous s'en régalent !

Léon avait froncé les sourcils lorsqu'il avait vu la courge, mais il était si saoul, ce dimanche-là, qu'il n'avait pas eu la force de protester.

Après avoir fait la trace dans la neige, il revint, des bûches dans les bras.

— À partir d'aujourd'hui, nous devons vivre avec ce que nous avons chez nous, parce qu'il nous sera impossible de sortir avant longtemps. Alors, il ne faut gaspiller ni bois ni nourriture.

Je haussai les épaules. Ce n'était pas la rareté du bois et de la nourriture qui m'inquiétait, mais plutôt le fait de demeurer de longs mois cloîtrée. M'occuper du potager et des animaux, cueillir les baies sauvages, récolter le sirop d'érable, fabriquer le beurre et le fromage, me rendre au village le dimanche et bavarder avec Margot, toutes ces sorties allaient beaucoup me manquer. Et il n'y avait aucun livre, pas même une bible dans la maison, pas de papier, pas de plume et d'encre pour écrire et tromper l'ennui. Je ne comptais par sur la conversation de Léon, il n'en avait eu aucune avec moi jusqu'à présent.

Contrairement à ce que j'avais imaginé, les premières semaines se passèrent, somme toute, assez agréablement.

Léon, moins fatigué et moins énervé, se montra bon vivant et plaisant. Il avait entrepris de fabriquer une poupée en bois pour notre future fille et une carriole si nous avions un garçon. De mon côté, je ravaudais mes nippes et les siennes avec des fils achetés à la boutique du village. À Saint-Cyr, j'avais rechigné à apprendre ce travail et je ne m'y étais point révélée bonne élève. Je m'aperçus que lorsque la nécessité s'en faisait sentir, les doigts s'appliquent mieux à ce genre d'ouvrage.

Nous bavardions gentiment. Il m'expliquait ce qu'il sèmerait au printemps et les récoltes mirifiques que nous aurions.

De mon côté, je lui promettais d'agrandir le potager, de préparer de la confiture de sureau et de mûres, de faire couver notre poule et d'élever les lapins que nous achèterions. C'était assez distrayant d'envisager ainsi notre avenir.

Durant cette période, il s'occupa de la vache et des porcs, me laissant le soin de fabriquer le beurre et le fromage et de récolter les œufs, que nous conservions dans une grande jarre enterrée dans la neige.

Pendant deux mois, le temps s'écoula doucement mais sans heurt.

Un matin, au moment de pétrir la pâte pour le pain que je confectionnais une fois par semaine, je constatai :

— Je prends la dernière livre de farine.

— Comment ? Il n'y a plus de farine ?

— Non, et il n'y a bientôt plus de haricots non plus.

— Je t'avais dit de faire attention ! s'emporta-t-il.

— C'est ce que j'ai fait, mais nos provisions étaient minces et il fallait bien manger.

— Remarque, il reste trois jours de fourrage pour la vache, et pour les volailles à peine de grains pour huit jours.

— Ce n'est pas possible !

Il s'énerva :

— T'es arrivée trop tard ! J'ai obtenu cette tenure en août et j'ai pas eu assez de temps pour faire des réserves suffisantes avant l'hiver !

— Ce n'est tout de même pas ma faute ! Je n'ai pas ménagé mes efforts et je vous ai secondé de mon mieux. Grâce au beurre, aux fromages et aux œufs que l'on a vendus, on a économisé quelques pièces. Le moment est venu de nous en servir pour acheter du fourrage et de la farine.

— On verra, bougonna-t-il, de toute façon, on peut pas aller au village. Ah, je comprends mieux à présent pourquoi on m'a proposé cette terre loin de tout ! Ceux qui connaissaient la rigueur des hivers n'en ont point voulu. Le gouverneur a profité de mon ignorance, et maintenant nous voilà bloqués ici comme des rats dans une cage !

Nous fêtâmes la Noël assez tristement en mangeant notre coq. Afin tout de même de célébrer la naissance de l'enfant Jésus, je chantai un cantique de la Nativité appris à Saint-Cyr, mais Léon m'interrompit avant la fin :

— Mangeons pendant que c'est chaud !

C'était un mécréant et cela me fâchait. À cet instant, je pensais très fort à mes camarades qui, à cette heure, devaient sortir de la chapelle où leurs voix, à l'unisson, étaient montées vibrantes et cristallines vers les cieux. La voix douce d'Anne résonna à mon oreille et des larmes me mouillèrent les yeux.

— Oh, là, grogna Léon, je déteste les pleurnicheries !

Léon avait liquidé sa dernière bouteille d'alcool et il était d'une humeur de chien à la perspective de vivre sans le réconfort de ce précieux breuvage. Il passait sa journée devant la porte, invectivant le ciel, pestant contre le gouverneur, contre les Indiens, contre le curé. Nous ne faisions plus de feu, économisant nos dernières bûches pour la cuisine... quand il y avait quelque chose à cuisiner. Je me terrais dans le fond de la maison pour me protéger du froid. Mais j'avais les pieds couverts d'engelures, car mes bas troués par les travaux des champs me laissaient la peau à nu ; mes mains étaient presque dans le même état. Jamais je n'avais eu si froid de ma vie. Léon ne semblait pas souffrir du blizzard qui accumulait la neige en énormes congères infranchissables.

Au début de janvier, nous fûmes contraints de tuer un goret, mais il était si maigre qu'il ne nous fit pas le profit escompté. Notre vache ne donnait presque plus de lait, son fourrage étant réduit à la portion congrue[1].

Un matin de février, il m'annonça :

— Ça peut plus durer. On a mangé le coq et la poule, la vache meugle parce qu'elle a l'estomac vide et la truie n'a plus que la peau sur les os. On va tous crever de faim. Je pars pour le village.

— C'est impossible, la neige est trop haute.

— Il n'en est pas tombé depuis plusieurs jours et le froid a tassé la première couche si durement

1. Quantité à peine suffisante pour survivre.

que l'on doit pouvoir marcher dessus sans s'enfoncer. Et puis, si je reste là, entre ces quatre murs à me ronger les sangs, je vais devenir fou.

— Tuons le dernier porc ?

— Y'a plus de bois pour le faire griller.

C'était vrai. Nous avions brûlé notre dernière bûche et nous nous nourrissions de lait froid. Mais la perspective de manger de la viande de porc crue me dégoûta.

Il n'y avait effectivement pas d'autre solution que d'essayer de se rendre au village.

Après avoir trouvé Léon odieux, je le jugeais à présent courageux et une vague de reconnaissance me poussa à un geste tendre. Je posai ma main sur son bras.

Il se précautionna[1] le mieux possible contre le froid, prit deux longs bâtons qui l'aideraient à maintenir son équilibre, et il partit. Je le suivis des yeux jusqu'à ce qu'il disparaisse dans l'immensité blanche. Je le vis glisser et tomber plusieurs fois. Je poussais un cri. Il se relevait et repartait. Mon cœur se gonfla d'admiration. J'avais peut-être mal jugé le mari que le destin m'avait envoyé.

1. S'équipa, se para.

CHAPITRE

14 BIS

Anne

Durant la semaine, je cherchai le moyen d'écrire à Gertrude. Ce n'était pas facile. Pas un instant nous n'étions libres de nos mouvements, et même si nous l'eussions été quelques minutes, je n'aurais eu ni papier ni encre et la crainte d'être prise en faute m'aurait paralysée.

Les jours s'écoulaient et mon angoisse augmentait à l'idée de ne rien remettre à Marguerite de Caylus. Qu'allait penser ma chère Gertrude si je ne lui répondais pas ? Que je l'avais oubliée ? Que sa nouvelle vie au Canada m'indifférait ? C'était insupportable.

Et puis les cieux eurent pitié de moi, car le mardi matin, notre maîtresse annonça :

— Ce jour d'hui, vous allez rédiger la lettre de quartier[1] à vos parents. Soyez brèves, parlez de vos progrès, de notre maison, et rappelez à vos proches que vous priez pour eux.

Habituellement, j'étais dispensée de cet exercice, puisque je n'avais plus de famille proche, mais cette fois, j'eus le courage de lui demander :

— Pourrais-je avoir une feuille pour remercier cet oncle qui souhaite me coucher sur son testament ?

La feuille entre les mains, j'hésitais. Comment écrire à Gertrude alors que notre maîtresse circulait entre les tables pour lire par-dessus nos épaules ?

Soudain, il me vint une idée et je commençai :

Monsieur, Je vous suis reconnaissante de vous intéresser à ma modeste personne...

J'attendis que la maîtresse lise cette phrase, puis lorsqu'elle s'éloigna pour se pencher sur une autre table, je tournai prestement ma feuille. J'avais peu de temps et je griffonnai plus que je n'écrivis quelques mots pour redire à Gertrude mon amitié et lui transmettre mes vœux pour sa nouvelle vie.

Lorsque la maîtresse revint vers moi, je venais discrètement de retourner la feuille et, le cœur battant, craignant que ma tricherie soit dévoilée, je

1. À Saint-Cyr, l'année scolaire suit l'année liturgique et se répartit en quatre périodes ou quartiers correspondant aux quatre fêtes.

m'appliquais à écrire une formule de politesse pour cet oncle imaginaire.

— Encore quelques minutes, et je ramasse votre courrier, lança Mme de Clérambault.

De stupeur, ma main trembla et un trait incontrôlé raya le bas de ma page. Avais-je été stupide ! Mme de Clérambault allait rapidement se rendre compte que je l'avais trompée. La panique s'empara de moi et une goutte d'encre tomba de ma plume et s'écrasa sur ma feuille. Aussitôt, une idée me vint et j'agrandis volontairement la tache. Après quoi, je m'exclamai d'un ton chagrin :

— Oh, suis-je maladroite !

Mme de Clérambault me sermonna :

— Je ne peux pas donner cela à Mme de Caylus pour votre oncle, ce serait un déshonneur pour notre maison ! Vous recommencerez demain. À l'avenir, soyez plus soigneuse, le papier coûte cher et ne doit pas être gaspillé.

Je m'excusai, pliai la feuille comme si j'allais la déchirer pour la jeter, mais dès qu'elle tourna le dos, je glissai le papier sous mon jupon en espérant que l'encre ne me trahirait pas en salissant le tissu de mon vêtement.

Tout le reste de la journée et le lendemain encore, je ne fus point à l'aise. À chaque minute, je m'attendais à ce que notre maîtresse, ayant découvert la supercherie, m'interpelle pour me confondre.

— Es-tu souffrante ? m'interrogea Jeanne pendant la récréation, tu es si pâle.

— Heu... non point... mais apprendre que mon oncle s'intéressait à nouveau à moi m'a tourné les sangs.

Mentir à Jeanne qui était la sagesse et la douceur mêmes me coûtait, mais je refusais de la mêler à mon complot afin qu'elle ne soit pas à son tour compromise. J'avais fait le malheur de Gertrude, je ne voulais pas faire celui de Jeanne.

Enfin, ce fut l'heure des vêpres.

En rang, nous nous rendîmes à la chapelle. J'espérais que Marguerite n'avait pas été retenue à la cour et qu'elle serait bien là.

En entrant, j'osais jeter un coup d'œil vers les loges où les personnes de la cour s'installaient habituellement. J'y aperçus quatre dames et aussi deux gentilshommes, ce qui me surprit. Depuis que M. Godet des Marais avait été nommé directeur spirituel de Saint-Cyr, il était exceptionnel qu'un homme franchisse nos murs. Seul le roi avait ce privilège. Mes camarades qui avaient, elles aussi, aperçu les gentilshommes se lançaient des regards étonnés.

J'essayais de recouvrer la sérénité dans la prière et le chant.

À la fin de l'office, nous regagnâmes notre classe, Mme de Clérambault sur nos talons. J'étais affreusement déçue. Ainsi, Marguerite était bien à Saint-Cyr, mais elle ne tenait pas sa parole.

À peine avions-nous repris notre ouvrage que l'on frappa à la porte. Une jeune novice entra et annonça d'une voix neutre :

— Castillon, Montesquiou, Bragare, vous êtes attendues au parloir, veuillez me suivre.

En principe, trois d'entre nous étaient appelées au parloir en même temps pour que, à travers les grilles de bois, un gentilhomme puisse, à loisir, nous observer et éventuellement faire le choix de sa future épouse.

Jeanne me lança un regard de biche aux abois et Olympe, un regard de défi. La première était terrorisée à l'idée d'être mariée à un vieux barbon, la seconde était prête à tout pour quitter Saint-Cyr et se livrer à sa passion du théâtre. Moi, je ne savais plus que penser.

Lorsque nous pénétrâmes dans le parloir, il me parut que nous interrompions une conversation animée entre Mme de Loubert et Mme de Caylus.

— Mme de Caylus a insisté pour que vous soyez présentées toutes les trois à un gentilhomme qui souhaite épouser une demoiselle de notre maison, nous annonça la mère supérieure.

À sa mine sévère, je compris qu'elle avait accepté afin de ne pas déplaire à la nièce de Mme de Maintenon.

— Je vous accorde dix minutes. Je vous laisse en présence de sœur Marie-Joseph, je suis attendue au noviciat.

Dès qu'elle eut quitté la pièce, Marguerite s'approcha de la grille de bois qui séparait la pièce en deux et dit aux personnes placées de l'autre côté :

— Voici les demoiselles dont je vous ai parlé.

Puis, me prenant par la main, elle me fit avancer de quelques pas et ajouta :

— Et voici Anne de Castillon.

Je crus qu'elle allait nommer aussi mes compagnes, mais elle n'en fit rien.

Je restais plantée, gauche et rougissante, sachant que de l'autre côté on m'observait. Je gageais qu'il y avait cet Augustin de Trimont dont elle m'avait vanté les mérites quelques jours auparavant. On chuchota sur mon compte. Cela m'agaça. Ma fierté, mise à rude épreuve, se rebella et je m'enhardis jusqu'à chercher à apercevoir celui qui me scrutait. La pièce où il se trouvait était dans l'ombre, mais je distinguais un homme jeune et assez grand, et un autre, le dos voûté par le poids des ans, appuyé sur une canne. Ce dernier était certainement l'ami de Marguerite, qui, ne pouvant plus se déplacer seul, avait sollicité l'aide d'un parent ou d'un domestique pour l'accompagner.

Marguerite était souriante. Elle virevoltait autour de moi en faisant à l'intention des personnes installées de l'autre côté de la grille des mimiques étranges.

J'étais au supplice.

Je pensais que mes compagnes allaient subir le même sort, mais elle ne les appela point et elles restèrent trois pas derrière moi.

J'imaginais que Mme de Caylus avait inventé ce stratagème afin de prendre ma lettre discrètement, mais les minutes passaient et elle ne me la demandait pas.

— Eh bien voilà, s'exclama-t-elle, les présentations sont faites.

Sœur Marie-Joseph, qui récitait son chapelet debout dans le fond de la salle, sortit de sa torpeur et soupira. La panique me saisit. Marguerite avait oublié ma lettre. Je lui soufflai tout bas :

— Et ma lettre pour Gertrude ?

— Ah, oui, donnez-la-moi.

Tandis que sœur Marie-Joseph se dirigeait vers la porte, je glissai la feuille dans la main de Marguerite. Elle la cacha immédiatement dans un repli de son ample jupe de soie verte et me murmura à l'oreille :

— Vous lui avez fait très bonne impression.

Je lui lançai un regard interrogatif, auquel elle répondit par un souris énigmatique. Puis elle s'adressa à sœur Marie-Joseph :

— J'informerai rapidement Mme de Loubert de notre décision.

C'est la mort dans l'âme que je regagnai la classe.

CHAPITRE

15

Gertrude

Inquiète pour Léon, je priai une partie de la nuit pour obtenir la protection des cieux.

Le lendemain, je tournais dans la maison sans feu comme un ours en cage. Pour m'occuper, je balayais le sol pourtant propre, puis je m'asseyais quelques instants sur le banc avant de m'avancer vers la porte, que j'ouvrais pour guetter le retour de Léon. Chaque fois, le vent du nord en profitait pour s'engouffrer dans la pièce, me piquait le visage et me glaçait jusqu'aux os. Léon n'avait pas jugé utile de m'acheter des vêtements chauds.

Lorsque le soir tomba, il n'était point revenu.

Peut-être n'avait-il pas trouvé aussi rapidement que prévu du foin pour la vache, du bois et des victuailles pour nous ?

Je me rendis à la remise pour traire un peu du lait de notre vache. Il y faisait moins froid que dans la maison. Je flattais le flanc maigre de la truie, je caressais l'encolure de Coquette. Son haleine tiède réchauffa mon visage gelé. Je me blottis dans un coin. Épuisée, je finis par m'endormir dans la chaleur des bêtes et leur réconfortante présence.

J'attendis encore en vain le jour suivant.

L'angoisse montait en moi. Il était arrivé quelque chose à Léon. Il s'était perdu. Il était peut-être mort de froid avant d'atteindre le village. Jamais il n'aurait dû partir ainsi. Je m'en voulais terriblement de ne pas l'avoir retenu.

Qu'allais-je devenir seule dans cette masure ? J'étais incapable de tuer le cochon ou la vache pour les manger. Comme personne au village ne connaissait ma pénible situation, nul ne pouvait me porter secours. Il devait être tout à fait habituel, quand on résidait loin du bourg, de rester chez soi pendant les mois d'hiver. Je suppose que Léon ne s'était pas vanté d'avoir peu de foin et peu de provisions.

J'étais donc seule à deux lieues de toute habitation.

Je refoulai les larmes qui montaient à mes yeux. Ce n'était point le moment de perdre mes dernières forces. Pour l'heure, je voyais tout en noir, mais peut-être Léon avait-il tout simplement des difficultés à louer un traîneau afin de ramener la marchandise achetée ? Il serait là d'ici deux ou trois jours.

Trois jours passèrent. Je restais avec les bêtes afin de ne point trop souffrir de froid et de solitude. Je buvais le peu de lait que fournissait Coquette. Je lui parlais. Elle meuglait à fendre l'âme.

Et puis, au milieu du quatrième jour, alors que j'entrouvrais la porte de l'étable pour scruter l'étendue de neige, mon cœur bondit : une silhouette grise se détachait sur l'immensité blanche.

— Léon ! hurlai-je, Léon !

La silhouette s'arrêta un instant, mais ne manifesta aucune joie en me voyant. Je criai plus fort :

— Léon ! Léon !

La silhouette continuait d'avancer dans ma direction sans réagir. Je l'observais : ce n'était pas Léon. Celui qui marchait était plus grand, moins trapu. Qui était-il ? Un voyageur égaré qui, voyant une habitation, venait chercher de l'aide ? Un habitant du village que Léon avait envoyé à mon secours ?

Soudain, je vis qu'il était vêtu d'une fourrure et d'un bonnet en peau d'ours à la mode indienne. La terreur s'empara de moi : C'était un brigand ! Un violeur, un tueur ! Léon m'avait conté, un soir à la veillée, l'histoire horrible d'un Iroquois qui, pour venger les siens massacrés par les soldats français, avait assassiné deux familles de colons.

Je refermai vitement la porte de l'étable et je me terrai derrière la vache. Mais ce n'était qu'illusoire protection : il n'y avait point de verrou. Le cœur battant à se rompre, j'attendais. Je n'eus même pas la force de prier. J'entendis crisser le sol gelé sous les pas de mon tortionnaire. La porte s'ouvrit et une voix puissante retentit :

— Madame ! Madame, tu es là ?

Je ne répondis pas. Pourtant, il me parut étrange qu'un brigand s'adresse ainsi à sa future proie.

— Madame, c'est Magena qui m'envoie.

Magena ? L'étau qui me serrait les poumons se relâcha. Il connaissait mon amie. Ce ne pouvait pas être un méchant homme.

Lui, de son côté, ses yeux s'habituant à l'ombre de l'étable me découvrit, terrorisée, derrière la vache.

— N'aie pas peur. Je suis Nayati, le frère de Magena.

J'étais si soulagée que j'avais envie de rire et de pleurer. Je ne parvins qu'à bégayer :

— Nayati... Nayati...

Confuse de l'avoir pris pour un brigand, je me levai pour l'accueillir, mais j'avais eu si peur et j'étais si faible qu'un étourdissement me saisit et je tombai privée d'esprit[1] entre ses bras.

1. S'évanouir.

Je me réveillai dans mon lit, Nayati penché sur moi. Il m'avait couverte de la peau d'ours qu'il portait sur lui et il me fit boire un breuvage brûlant qu'il venait de préparer avec des plantes séchées et pilées. Il m'expliqua qu'il gardait toujours ces médecines dans une corne de bœuf pendue à sa ceinture. Une timbale de fer, un briquet d'amadou, une poignée de neige et quelques brindilles suffisaient à préparer une boisson qui redonnait des forces.

Les questions se bousculaient sur mes lèvres, mais lorsque je voulus les poser, Nayati m'arrêta.

— Il faut d'abord manger. Magena a préparé pour toi de la sagamité[1]. Je la fais réchauffer et aussi je fais griller un morceau de bison.

Une bûche crépitait dans la cheminée. Bientôt une douce chaleur et une agréable odeur se répandirent dans la pièce et je laissai le bien-être m'envahir sans oser bouger ni parler pour ne pas gâcher ce merveilleux moment.

— Voilà, c'est prêt ! m'annonça-t-il.

Il m'aida à me lever et me tint le bras jusqu'à ce que je fus assise sur le banc devant la table. Il versa la soupe fumante dans l'écuelle de bois taillée par Léon. Mais malgré l'odeur alléchante, je sentais qu'il me serait impossible de manger tant que je n'aurais pas de nouvelles de Léon. Comme Nayati gardait le

1. Sorte de potage à base de maïs et de riz sauvage.

silence, je supposai qu'elles n'étaient point bonnes et, soucieuse, je le questionnai :

— Et Léon ?

— Il va mieux.

— Mieux ? Il a donc été malade ?

— Oui. Il a marché deux jours pour rejoindre le village sans dormir pour ne pas mourir de froid. Il était épuisé.

— Seigneur... c'est ma faute... c'est pour nous venir en aide qu'il est parti seul dans le froid. Jamais je ne me pardonnerai de...

Nayati posa une main sur mon bras.

— Ce n'est pas le froid qui l'a rendu malade... enfin, pas directement. En arrivant au village, il est entré à la taverne et il a bu. Beaucoup trop. Il était ivre et il est tombé sur le chemin du retour. Je passais par là, je l'ai recueilli. Grâce aux médecines de notre chamane, il est sauvé. Dans quelques jours, il sera debout.

La honte me laissa sans voix. J'avais espéré que quatre mois loin de la taverne auraient guéri Léon de son vice. Il n'en était rien. Je remerciai chaleureusement Nayati et je lui posai la question qui me brûlait les lèvres :

— C'est lui qui vous a demandé de venir à mon secours ?

Nayati hésita, se leva, marcha dans la pièce, puis revint à mon chevet et lâcha :

— Non. C'est Magena. Elle se faisait du souci pour toi et elle avait raison.

Effectivement, il me l'avait dit quelques minutes auparavant. Ainsi, c'est à mon amie et non à mon époux que je devais la présence réconfortante de Nayati. Tout à coup, une autre idée me traversa l'esprit et je m'inquiétai :

— Et toutes les provisions qu'il avait achetées, que sont-elles devenues ?

— Les provisions ? Il ne transportait rien.

— Alors c'est qu'il a été volé ! Il allait au village pour obtenir de la farine, des pois, du fourrage...

— À mon avis, il n'avait encore rien acheté. Il a dépensé son argent à la taverne, car sa bourse était vide.

— Vide ?

Ainsi, non seulement Léon continuait à s'adonner à la boisson, mais il avait dilapidé l'argent avec lequel nous devions survivre durant l'hiver, et le plus lamentable, c'est qu'il ne se souciait même pas de mon sort ! Il me répugnait que ce jeune homme que je ne connaissais point ait découvert ma misérable vie d'épouse. J'aurais préféré lui laisser croire que j'étais mariée à un homme gentil et sobre. Une nausée me saisit et je fus incapable d'avaler une cuillère de potage.

— Il faut manger, Gertrude, sinon Magena ne sera pas contente.

— C'est que... je regrette que vous soyez mêlé à tout cela et...

— Ne crains rien. Je n'ai rien vu, rien entendu. Je suis seulement venu te proposer mon aide.

Il saisit la cuillère et me donna la becquée avec douceur et gentillesse comme il l'aurait fait pour un enfant.

Au bout de quelques minutes, mon appétit s'aiguisa grâce à la bonne odeur de viande rôtie qui me chatouillait les narines. Nayati s'assit en face de moi et nous partageâmes le morceau de bison. Il y avait plusieurs mois que je n'avais pas mangé ainsi.

— Je vais te ramener au village, me dit Nayati. Tu ne peux pas rester toute seule sans provision.

— Oh, non, je ne peux pas laisser mes bêtes, sinon elles vont mourir.

— De toute façon, si elles n'ont rien pour se nourrir, elles mourront.

— Il ne faut pas ! C'est notre seul bien ! Nous avons déjà été obligés de tuer un cochon, la poule et le coq. Que deviendrons-nous au printemps si nous n'avons plus d'animaux ?

Nayati garda un moment le silence pour réfléchir. Curieusement, mon angoisse était tombée. J'étais certaine qu'il trouverait une solution.

— Il faut tuer le dernier cochon. Ainsi tu auras de la viande pour quelques jours. Je t'ai apporté un peu de bois. Tu le feras rôtir.

— Oh, non, Léon sera furieux.

— Si je ne le tue pas, il mourra de faim, de toute façon.

Je m'y résolus donc, mais je n'assistai pas à la mort de cette bête qui, par sa chaleur, m'avait soulagée du froid. Nayati s'occupa de la découper et d'enterrer les morceaux dans la neige contre la maison.

— Voilà, me dit-il, maintenant, je vais aller chercher de la farine, des pois, du bois et du foin.

— C'est trop dangereux. Léon n'y est pas parvenu.

Il sourit :

— Je ne suis pas Léon. Ici, c'est mon pays. Je le connais bien. Je ne me perdrai pas. Je sais apprivoiser la neige, le vent, le froid.

Sa voix était à la fois douce et ferme. Tout semblait simple avec lui, je n'avais qu'à le laisser agir. Mais soudain une vérité m'apparut et je lui dis, anéantie :

— Je n'ai pas d'argent pour payer l'achat des provisions !

Il balaya ma remarque d'un geste de la main.

— Tu es l'amie de Magena et donc mon amie, et l'argent ne compte pas entre amis.

Les remerciements me semblèrent superflus parce qu'ils étaient impuissants à exprimer tout ce que mon cœur voulait dire. Un souris de soulagement et peut-être même de bonheur m'illumina un instant.

— C'est le plus beau souris que j'ai jamais vu, murmura-t-il.

CHAPITRE

15 BIS

Anne

Le soir, dans le dortoir, après que nous eûmes soufflé nos bougies et que la surveillante fut passée, Olympe se glissa dans mon lit, suivie, peu de temps après, de Jeanne.

— C'est vous qui avez été choisie, me souffla cette dernière.

— Certes, grogna Olympe. Mais je soupçonne Mme de Caylus de nous avoir conviées à une mascarade. Vous aviez été choisie avant, ma chère Anne, et nous n'étions là que pour endormir la vigilance de la mère supérieure.

Je partageais l'opinion d'Olympe et j'étais abominablement gênée qu'à cause de moi elles aient pu entretenir de vains espoirs.

— Il m'a semblé bien vieux, ajouta Jeanne.

— Ce n'est pas lui le prétendant, mais le jeune gentilhomme qui l'accompagnait, assura Olympe.

— Comment le savez-vous ? demandai-je.

— Le jeune homme n'a pas cessé une seconde de vous observer et ses yeux pétillaient de convoitise.

J'étais fort étonnée qu'elle ait pu remarquer cela. Je n'avais, quant à moi, rien vu de tel.

— C'est que vous n'avez pas, comme moi, la passion du théâtre et n'avez pas étudié comment se comporter sur une scène pour exprimer des sentiments par l'intermédiaire du regard, d'un geste, d'une attitude... et je puis vous assurer que ce gentilhomme s'est épris de vous dès que vous avez paru.

Je rougis dans le noir et, plus troublée que je ne l'aurais souhaité, j'affirmai :

— Que nenni, vous vous trompez ! Je gage que c'est le plus âgé qui cherche une épouse. Un jeune gentilhomme doit avoir, à la cour, le choix entre des demoiselles mieux dotées et plus jolies que moi.

— Rien n'est moins sûr. Marguerite de Caylus prétend que la cour est vieillissante. Et on ne m'enlèvera pas de l'idée que là encore il s'agit d'une mascarade ! Le vieux barbon est sans doute le mentor[1] du jeune et lui a servi à s'introduire dans notre maison sans difficulté.

1. Guide, conseiller.

Je m'étonnais de la finesse d'analyse d'Olympe. Elle savait sur l'âme humaine des choses surprenantes.

Soudain, un mouvement se fit du côté du lit clos de la surveillante. Avait-elle perçu nos chuchotements ? Avant qu'elle n'en écarte les courtines[1], Olympe et Jeanne jaillirent de ma couche et regagnèrent la leur à pas de velours. Lorsque la surveillante traversa le dortoir, elle eut l'impression que nous dormions toutes.

Il me fut pourtant impossible de trouver le sommeil.

1. Rideaux d'un lit.

CHAPITRE

16

Gertrude

L'attente reprit.

Mais je n'étais plus aussi angoissée. Nayati allait revenir vitement avec de la nourriture, du bois pour la cheminée, et j'étais certaine aussi qu'il partagerait quelques jours ma solitude. À ma grande honte, je m'en réjouissais.

Il m'avait laissé une pelisse en peau d'ours chaude et moelleuse et des bottillons fourrés. Ainsi, le froid m'était supportable. Je tâchais de me nourrir de morceaux de porc rôti, mais, malgré la faim, la viande me soulevait l'estomac. J'avais envie de douceurs et je rêvais de dragées, de pâtisseries à la cannelle et de confiture comme celles que les dames de Saint-Cyr nous servaient.

Je fus tirée de ma rêverie par des tintements de grelots. C'était lui : Nayati.

Je me précipitai à la porte et me dressai sur la pointe des pieds. J'aperçus un renne tirant un traîneau lourdement chargé, conduit par une silhouette d'homme, et j'agitai les bras au-dessus de ma tête en signe de bienvenue. Il avait fait vite.

Las, lorsque la silhouette s'approcha, je vis que ce n'était pas Nayati, mais Léon. La déception éteignit le sourire sur mes lèvres. Je me forçai de le ranimer pour l'accueillir et, dès qu'il arrêta le traîneau devant la porte, je lui dis :

— Je suis bien aise de vous voir, j'ai eu peur que...

— Trêve de balivernes ! coupa-t-il sèchement, je sais très bien de quoi il retourne !

Troublée par sa repartie, je bafouillai :

— Plaît-il ?

— Ne joue pas les sucrées[1] avec moi. J'ai parfaitement compris que, après m'avoir volé, ces damnés Indiens me retenaient prisonniers dans leur campement pour que ce Nayati te conte fleurette !

— Point du tout. Il est venu m'apporter des vivres. Sans lui, la vache serait morte, et moi aussi peut-être.

— Que nenni, les animaux, ça résiste... quant à toi...

1. Mijaurées.

Il haussa les épaules pour me signifier que, tout compte fait, j'avais moins d'importance que sa vache. Ma colère enfla et j'explosai :

— Je sais que, pour vous, je ne suis qu'une bête de somme de plus et que vous vous souciez de moi comme d'une guigne[1]. Mais j'ai travaillé pour vendre notre lait, notre beurre et nos œufs. Pouvez-vous me dire ce que vous avez fait de l'argent si durement gagné ?

— Ça te regarde pas. Je suis le maître. Je fais ce que je veux et je supporterai pas que ma femme me trompe dès que j'ai le dos tourné.

— Vous m'offensez ! Je n'ai point à rougir de ma conduite. Par contre, la vôtre est inqualifiable ! Vous avez dépensé en boisson tous nos deniers au lieu d'acheter ce dont nous avions besoin.

— Encore une menterie de cet Indien pour vous posséder. C'est lui qui m'a volé !

— Je ne vous crois pas, lui assurai-je froidement.

Il entra dans une colère noire et me frappa violemment. Je me protégeais le visage de mes bras et me terrais dans un angle de la pièce, mais les coups s'abattirent longtemps sur moi. Je crus qu'il allait me tuer.

Sans doute à bout de forces, il s'arrêta et sortit de la maison sans un mot.

1. La guigne est une petite cerise acide. Se soucier de quelqu'un comme d'une guigne signifie ne pas s'en inquiéter du tout.

Je restais hébétée et tremblante sans oser bouger. Je priais pour qu'il ne revint pas, car j'étais à sa merci. Mes cris et mes supplications ne seraient entendus de personne et fuir dans le froid me conduirait aussi sûrement à la mort que les coups.

Je demeurais prostrée de longues minutes. Puis, jugeant que me lamenter était vain, je décidais d'affronter cette nouvelle épreuve. Je me levai tremblante, le corps endolori. Comme je n'avais point d'eau pour me bassiner le visage, j'entrouvris la porte et, saisissant des poignées de neige, je les appliquai sur mes plaies. Le contact du froid sur mes blessures calma la douleur.

Quelques instants plus tard, Léon pénétra dans la maison et hurla :

— Et le porc ! Où est le dernier porc ? Cet Indien de malheur l'a emporté !

— Non. Il l'a tué pour éviter qu'il meure de faim et pour que j'aie quelque chose à manger durant votre absence. D'ailleurs, il en reste des morceaux dans la neige.

— Il avait pas le droit ! De quoi on va vivre au printemps !

— Il a fait pour le mieux.

— Non ! Il avait pas le droit, j'te dis !

Il m'asséna une violente gifle. Je crus qu'il allait recommencer à me battre, mais il souffla et grogna :

— J'vais chercher les provisions.

Je ne savais plus quelle attitude adopter pour éviter ses colères. Je choisis d'être docile pour éviter les coups, et lorsqu'il revint, les bras chargés, je ne fis aucun commentaire.

— Voilà du blé d'Inde, des œufs et un gros morceau de caribou, et j'ai aussi du bois.

Je supposai qu'il avait subtilisé le traîneau que Nayati avait préparé pour moi, car je ne voyais pas comment Léon avait pu se procurer toutes ces denrées sans payer.

Il s'affaira à allumer la cheminée et, pour ne pas envenimer la situation, je rangeai les victuailles en silence.

Il dévora la viande grillée en la mâchant à grand bruit. Je ne pus avaler une bouchée. Il saisit mon assiette et, brandissant le couteau, me tança :

— Madame fait des manières ! C'est donc que t'as pas assez jeûné ! Ou alors c'est l'absence de ton Indien qui te coupe l'appétit !

Je ne répliquai point. Ma soumission dut lui plaire, car il éclata d'un grand rire sonore.

— Une femme, ça se mate !

Les trois mois suivants furent les plus difficiles de mon existence.

J'avais faim, car je me réservais des parts infimes afin d'économiser la nourriture pour tenir le plus longtemps possible, alors que je servais à Léon des parts correctes. Il faisait mine de ne s'apercevoir de rien. J'avais froid, car Léon m'avait pris la pelisse et les bottillons en peau d'ours offerts par Nayati en objectant :

— Tu ne dois recevoir de cadeaux que de ton époux.

Mais il ne m'avait jamais fait le moindre cadeau.

J'acceptais tout pour éviter d'être battue. Je me disais qu'au printemps, lorsque la neige aurait fondu, je m'enfuirais. J'irais jusqu'au village solliciter la protection du prêtre, ou alors je demanderais l'hospitalité à Margot, ou encore, je ferais le voyage jusqu'à Québec pour retrouver Héloïse. La perspective de ma fuite m'aidait à supporter ce qu'était devenue ma vie.

Léon, qui n'était déjà point trop bavard, ne m'adressait plus la parole, sauf pour me donner des ordres. Il restait de longs instants avachi sur la table à somnoler ou à ronchonner. Parfois, heures bénies, il sortait, son fusil sur l'épaule, pour chasser ou pour poser des pièges. Je respirais alors plus librement. S'il revenait avec un lièvre ou une perdrix, sa fierté de chasseur lui faisait oublier sa rancœur et, souriant, il me contait son exploit. S'il revenait bredouille, sa mauvaise humeur rendait la journée pénible. Il rejetait la faute sur les Indiens qui, prétendait-il, tuaient tous les animaux dans le seul but d'affamer les Blancs.

Je sentais qu'il accusait les Indiens pour voir si j'allais prendre le risque de les défendre. Je m'en gardais bien, mais au lieu de l'apaiser, cela avivait encore sa colère qui n'attendait qu'un prétexte pour éclater.

— Alors ! hurlait-il, t'as même pas le courage de défendre tes amis ! Tu n'as que du sang de fumelle !

Je bouillonnais d'indignation mais je me taisais et, pour m'encourager à tenir bon, je pensais : « Vivement le printemps ! »

CHAPITRE

16 BIS

Anne

Tout est allé très vite. Trop peut-être.

Quelques jours après cette curieuse présentation, Marguerite revint à Saint-Cyr assister aux vêpres. Je l'aperçus en compagnie de Mme de Maintenon dans l'une des deux tribunes réservées aux personnes extérieures à notre maison.

— Elle est là pour vous, me souffla Olympe à l'oreille.

Je haussai les épaules. Cela ne se pouvait, car il était impossible qu'elle ait déjà une réponse de Gertrude. Alors... L'idée qui s'imposa à mon esprit me troubla si fort que je faillis lâcher mon livre de prières.

Comme les fois précédentes, à la fin de l'office, une novice vint m'informer que Mme de Maintenon m'attendait dans son bureau. Olympe me donna un coup de coude discret qui signifiait : « J'avais raison ! » Une boule d'angoisse monta dans ma gorge. Qu'avait-on de si important à m'annoncer pour que Mme de Maintenon en personne me convoque ?

Lorsque j'entrai dans la pièce, Mme de Maintenon était frileusement blottie dans une sorte de niche capitonnée de velours à l'abri du vent qui s'infiltrait sous les hautes fenêtres. Marguerite de Caylus, debout à son côté, souriante, ne semblait pas craindre le froid comme sa tante. Il est vrai qu'elles n'avaient pas le même âge, la marquise avait plus de cinquante-cinq ans quand sa nièce n'en avait que dix-neuf.

— Mme de Caylus vient de m'informer que M. Augustin de Trimont souhaite vous épouser.

J'eus l'impression que tout mon sang refluait à mon cerveau, puis descendait précipitamment à mes pieds. J'eus très chaud et très froid presque simultanément. L'incrédulité ou l'incompréhension durent se peindre sur mon visage et, craignant peut-être un malaise, Mme de Caylus ajouta :

— Il s'agit de l'ami dont je vous ai entretenu et à qui vous et vos amies avez été présentées.

J'entendais bien. Mais de quel gentilhomme s'agissait-il ? Du jeune ou du vieux ? Il m'était impossible de poser la question, et pourtant, elle me brûlait la langue.

— Il me paraissait que votre piété, votre sagesse et votre... repentance depuis le fâcheux incident qui perturba notre maison vous destinaient à devenir religieuse et je m'en réjouissais... poursuivit Mme de Maintenon, mais les voies du Seigneur sont impénétrables. M. de Trimont est le dernier descendant d'une noble famille catholique, dont tous les membres ont servi fidèlement le roi au péril de leur vie. Aussi, il est de mon devoir de lui donner l'une des demoiselles de notre maison afin d'assurer sa descendance.

Ainsi, j'étais tout bonnement cédée à un homme pour compenser les pertes subies par sa famille. À charge pour moi de lui faire de nombreux enfants ! J'étais écœurée. Révoltée. Et pourtant, je demeurais droite et impassible. C'était notre lot, à nous les filles, d'être mariées contre notre volonté. Marguerite de Caylus souriait toujours. Je lui en voulus terriblement. Elle s'était jouée de moi, de ma candeur et avait profité de mon amitié pour Gertrude pour me jeter dans les bras de son vieil ami. Peut-être même lui offrirait-il un bijou pour avoir été son intermédiaire ?

— Cependant, si vous vous sentez appelée par Dieu pour le servir au sein d'un couvent, je vous encouragerai à prendre le voile. Il ne peut y avoir de rivalité entre Dieu et le commun des mortels.

Soudain, alors que je me voyais déjà dans le lit de ce vieillard, pleurant de honte et de désespoir, j'entrevis une lumière : Je pouvais choisir le couvent ! Le poids qui me broyait la poitrine s'allégea et je parvins à articuler :

— Je vous remercie, madame, je vais y réfléchir.

Ma décision était prise. J'entrerai au couvent.

— M. de Trimont a sollicité un entretien. Je le lui ai accordé. Il n'excédera pas dix minutes et se déroulera pendant la récréation. Mme de Caylus y assistera. Je compte sur vous, Marguerite.

— Vous pouvez, ma tante, car moi aussi, je souhaite le bonheur de ces demoiselles.

Mme de Maintenon ne parut pas convaincue par l'argument de sa nièce. Elle soupira, resserra son châle de laine noire sur sa poitrine et ajouta :

— Je suis lasse, allez, mon enfant, montrez-vous digne de la confiance que nous vous accordons et n'oubliez pas que Dieu passe avant tout.

Je lui fis la révérence et je sortis devant Mme de Caylus.

— Ça y est ! lança-t-elle dès que la porte fut refermée. Vous allez enfin le rencontrer ! Depuis qu'il vous a vue, il ne me parle que de vous ! Il est au parloir, mais cette fois, il sera devant la grille !

— Attendez ! dis-je, je ne sais si... je ne suis pas prête... et...

Se méprenant sur mes intentions, elle se moqua :

— Voyez-vous ça, la coquette ! Il vous aime déjà telle que vous êtes, pas besoin de rubans supplémentaires ni de colifichets. Pincez-vous un peu les joues pour qu'elles rosissent, car vous êtes bien pâle !

Comme je ne m'exécutais pas, elle me pinça, arrangea mon bonnet et tapota le tissu de ma jupe.

— Voilà, vous êtes parfaite !

Elle pressait le pas dans le corridor, je le ralentissais.

Lorsque nous arrivâmes devant le parloir, j'aurais voulu mourir sur place afin de ne pas avoir à rencontrer le vieux gentilhomme en quête de chair fraîche.

Marguerite ouvrit la porte et me poussa à l'intérieur en me grondant :

— Hé, quoi, vous n'allez tout de même pas à l'abattoir !

C'était pourtant l'impression que j'avais.

Il était là.

Jeune, élancé, il avait le corps pris dans un pourpoint de daim noir éclairé d'un col de guipure blanche, son manteau bordé de zibeline était maintenu sur son épaule gauche par un lien, et il tenait son chapeau dans une main. J'eus le temps d'apercevoir ses yeux vert d'eau dans un visage avenant avant qu'il ne s'incline devant moi.

Je restai pétrifiée une ou deux secondes d'horloge, puis je lui servis ma plus belle révérence. J'étais si soulagée qu'il ne fût pas vieux que je crois bien lui avoir souri malgré moi, car Mme de Caylus s'exclama :

— Ah, voilà qui est mieux, la chère enfant était terrorisée à l'idée de vous rencontrer !

— Oh, il ne fallait pas, mademoiselle, et si j'avais pu soupçonner votre appréhension, j'aurais différé ma venue.

Il était charmant et parlait bien.

— Menteur, plaisanta Mme de Caylus, vous étiez si impatient que vous attendiez devant la porte une heure avant le rendez-vous !

Il s'approcha de moi me prit fort délicatement la main. Plongeant ses yeux dans les miens, que je ne parvenais plus à tenir baissés tant j'avais de plaisir à le regarder, il ajouta :

— Depuis que je vous ai aperçue derrière la grille, mademoiselle, l'envie de vous revoir ne m'a plus quitté.

— N'est-il pas galant ? minauda[1] Marguerite.

1. Minauder : faire des manières pour plaire.

Il l'était en effet. Ses regards enveloppants et sa voix chaude faisaient fondre ma résistance. Je prenais tout à coup conscience que j'étais une femme belle et désirable, et c'était si nouveau pour moi qui avais été jusqu'à ce jour un être anonyme identique à tous ceux de notre communauté qu'un vertige me saisit. Il perçut mon malaise, me serra plus fortement la main et, passant son bras gauche derrière mes épaules, ce qui me fit délicieusement frémir, il me conduisit jusqu'à un ployant :

— Asseyez-vous, mademoiselle, les journées dans cette maison doivent être si remplies que votre fatigue est bien excusable.

Qu'il était prévenant et délicat !

J'étais complètement tourneboulée. J'aurais voulu qu'il laissât son bras autour de mes épaules, j'aurais voulu qu'il continuât à me parler, à me sourire, et en même temps, je me disais que c'était trop beau. Que tout ce bonheur ne pouvait pas être pour moi, que je ne l'avais pas mérité et qu'il n'y avait aucune raison qu'il m'échût à moi plutôt qu'à Olympe ou Jeanne.

— Eh bien, Anne, que pensez-vous de votre prétendant ? s'enquit Marguerite à brûle-pourpoint.

Ma pudeur, ma timidité, mon éducation m'interdisaient de lui répondre avec franchise. Et puis, même si je l'avais voulu, j'avais la gorge si sèche qu'aucun son n'aurait pu en sortir. Encore une fois, Augustin vint à mon secours :

— Voyons, Marguerite, vous mettez mademoiselle mal à l'aise et ce n'est assurément pas ce que je souhaite.

— Et que souhaitez-vous, mon ami ?

— Qu'elle sache que mon plus cher désir est de l'épouser. Cependant, je ne ferai rien contre sa volonté, et si elle envisage de prendre le voile comme Mme de Maintenon me l'a affirmé, je respecterai son choix même s'il m'en coûte.

Il avait dit cela d'une voix posée et douce qui me fit chavirer. Prendre le voile alors qu'un gentilhomme jeune, beau et attentionné me proposait le mariage ? Il n'en était plus question. J'aurais voulu le lui dire, mais paralysée par l'émotion, j'en étais incapable.

Il s'éloigna de moi et dit à Mme de Caylus :

— Allons-nous-en, Mlle de Castillon ne semble pas agréer ma demande et il serait mal venu d'insister.

Il partait. Je l'avais fâché par mon attitude trop réservée. Peut-être ne reviendrait-il plus jamais. Je m'affolai. Il fallait que je dise quelque chose afin qu'il comprenne qu'il ne m'était pas indifférent. Las, on ne nous apprenait pas à Saint-Cyr ce genre de choses et j'étais totalement démunie. N'allait-il pas me prendre pour une gourgandine si je lui montrais mes sentiments ? Les mots se mêlaient dans mon esprit sans qu'aucune phrase correcte se forme.

Mme de Caylus m'adressa un regard de reproche, et comme M. de Trimont s'avançait vers la porte, je réussis à prononcer :

— Monsieur, je... je vous remercie...

L'air me manquait.

Augustin se retourna.

— ... de l'honneur que vous me faites... mais...

Il avait le visage tendu, craignant sans doute un refus.

— Tout cela est si nouveau pour moi que... que je dois réfléchir.

Son visage s'éclaira. Il saisit mes deux mains et, un genou en terre, il ajouta :

— Ce n'est donc point un refus ?

— Oh, non ! protestai-je un peu trop vite.

Je rougis de ma hardiesse d'autant que j'aperçus le souris un rien moqueur de Marguerite, mais je réussis à poursuivre :

— J'ai seulement besoin d'un peu de temps.

— Tout le temps qu'il vous faudra ! s'exclama-t-il en se redressant d'un bond, avant de se raviser : Point trop longtemps tout de même, j'ai hâte de faire de vous ma femme.

Marguerite éclata de rire et, enfin libérée d'avoir pu parler, je ris à mon tour.

— Votre rire est prometteur, conclut Augustin.

CHAPITRE

17

Gertrude

Petit à petit, imperceptiblement, le printemps s'annonça : l'air était moins vif, les brumes matinales se dissipaient plus rapidement, le soleil était moins pâle, la neige commençait à fondre et les oiseaux pépiaient avec plus d'ardeur.

L'attitude de Léon changea aussi.

— L'hiver se termine ! lança-t-il un matin d'une voix guillerette. C'est pas trop tôt ! Jamais je me ferai à ce froid et à ces jours trop courts !

J'étais, moi aussi, si heureuse à la perspective de mettre bientôt mon projet à exécution que je répliquai :

— J'en suis bien aise également.

— La terre, ça rapporte une misère. Moi, j'ai de l'ambition et j'veux pas végéter des années ici en travaillant comme une bête pour rien.

Interloquée, je le dévisageai.

— Ce printemps, je vais rejoindre le Pays-d'en-Haut pour chasser le castor. Les peaux se vendent cher. Les plus audacieux y font fortune et je veux en être.

— J'ai ouï dire qu'il fallait obtenir un congé[1] délivré par le gouverneur pour procéder à la traite des fourrures.

— Ah, oui ! s'emporta-t-il... Tu les as, toi, les six cents livres pour payer le congé ! Tout ça, c'est encore pour les riches... et je préfère risquer les galères que de croupir ici.

— Et moi ?

— Tu t'occuperas de la terre et de la vache, il s'agit pas de tout laisser en friche, le gouverneur serait capable de me reprendre la tenure, et maintenant que je l'ai, je la garde. À l'entrée de l'hiver, je reviendrai avec plus d'argent que tu n'en as jamais vu !

— Je ne sais pas si j'aurai la force de m'occuper de tout.

— Il faudra. Déjà que t'es pas capable de faire des enfants, alors faut bien que tu payes ta contribution à notre mariage en travaillant.

Nous étions mariés depuis neuf mois et je n'étais toujours pas grosse. Au début, cela m'avait désolée,

1. Un système de congés délivrés par le gouverneur de Québec avait été établi pour limiter la traite des fourrures.

car des enfants auraient adouci mon existence et auraient rendu Léon plus tolérant à mon égard. Et puis, lorsque je formais le projet de fuir la violence de Léon, il me parut que ne pas avoir d'enfants faciliterait mon entreprise.

— Et ne t'avise pas d'attirer ton Indien chez moi... Je le saurai et, comme je supporterai pas d'être la risée du village, je te tuerai. Je risque rien. Les filles qu'on nous envoie de France ont pas bonne réputation et le juge m'acquittera... s'il m'attrape !

Il avait pensé à tout, comme si l'idée de me supprimer avait longuement mûri dans son esprit. Cela me fit peur.

Afin de préparer son expédition, il se rendait tous les jours à Neuville. Enfin, c'est ce qu'il m'expliqua. À mon avis, il s'agissait d'un prétexte pour aller boire à la taverne. Souvent, il revenait ivre, parfois il avait acheté, à crédit je suppose, un piège, de la corde, une hache. Il ne toucha pas à la charrue, il ne sema rien, il n'acheta pas de volailles, ni de nouveaux cochons. Je n'osais lui demander de quoi, l'hiver venu, nous allions nous nourrir. Il espérait sans doute revenir riche et tout acheter sans avoir eu à travailler la terre.

Nous n'échangions pas trois mots de la journée.

Les prés commençaient à reverdir, notre vache était heureuse de retrouver l'herbe tendre et, grâce à son lait, je fabriquais à nouveau du beurre et du fromage. Le marchand de Québec avait repris sa tournée et, une fois par semaine, il venait acheter ma production. Léon était toujours présent ce jour-là et encaissait l'argent de la vente, qu'il s'empressait de dépenser au village. Cela me rendait furieuse.

Depuis que Léon m'avait informée de son désir de partir chasser le castor, je réfléchissais à la meilleure solution pour moi. Devais-je profiter de son absence pour me réfugier chez Margot ? Ou au contraire, savourer le bonheur de vivre seule sans contrainte et sans peur, accumuler un petit pécule grâce à mon travail et partir juste avant l'hiver m'installer dans l'anonymat d'une grande ville ?

Je ne parvenais pas à prendre parti et l'inquiétude me rongeait.

Et puis, un matin, Léon rangea tout ce qu'il avait acquis dans un sac de toile épaisse, prit le pain que j'avais confectionné la veille, tous les fromages, et m'annonça :

— C'est le bon jour. Je veux pas manquer le début de la saison de chasse.

— J'espère qu'elle sera bonne, lui dis-je.

— Il le faudra, sinon...

Je crus qu'il allait m'abreuver de recommandations et me menacer des pires représailles si je ne lui obéissais point. Il n'en fut rien. Il balança son sac sur l'épaule, se dirigea vers la porte, l'ouvrit et dit avant de franchir le seuil :

— Je serai de retour d'ici trois mois.

— Que Dieu vous garde, lui répondis-je.

Ma bouche avait refusé de prononcer les mots « à bientôt » ou « je vous attendrai », qui auraient été des mensonges.

Il ne me serra pas dans ses bras, il ne me prit pas la main et je le regardai s'éloigner de la maison sans tristesse. J'ose même dire avec un certain soulagement.

Je restai toutefois sur mes gardes pendant de longues minutes, craignant de le voir revenir pour une quelconque raison, prêt à me battre pour apaiser sa colère ou sa déception.

À la fin de la journée, mes nerfs, tendus à l'extrême, commencèrent à se relâcher et c'est en chantonnant que j'entrai à l'étable pour traire notre vache.

— Ça y est, Coquette, nous sommes libres ! Tu vas me donner beaucoup de lait, je vendrai tout au marchand, je récolterai de l'argent et, d'ici un ou deux mois, nous partirons nous aussi.

Elle meugla gentiment.

Il y avait longtemps que je ne m'étais sentie aussi bien. J'en vins même à penser que peut-être Léon ne reviendrait pas, qu'il s'installerait dans le Pays-d'en-Haut, qu'il prendrait une nouvelle femme, qu'il m'oublierait... alors je pourrais enfin mener ma vie à ma guise.

J'échafaudais plusieurs plans.

Tantôt, je me voyais exploiter seule cette terre, trimant pour pouvoir acheter de nouveaux animaux, labourant, fauchant, semant, récoltant... Je savais que j'y arriverais, car j'avais appris à aimer cette vie au contact de la nature. Mais je savais aussi qu'une femme seule n'est jamais bien considérée dans un village. Il lui faut la protection d'un mari, ou alors elle doit se plier à la règle d'un couvent. Serais-je assez forte pour supporter les sous-entendus, subir les regards méprisants des dames de la paroisse ?

Tantôt, je me persuadais qu'il ne fallait pas rester une minute de plus à cet endroit où j'avais tant souffert et que je devais aller demander assistance à Margot et à Nayati.

À d'autres moments, je pensais préférable de fuir vers Québec. Héloïse avait peut-être reçu une lettre d'Anne pendant ce long hiver et n'avait pas pu me la faire parvenir. Anne... Elle continuait à me manquer. Peut-être la meilleure solution était-elle de repartir pour la France. Là-bas, je trouverais bien un subterfuge pour la revoir et la faire sortir de Saint-Cyr.

N'ayant personne pour me donner d'ordres et aucun horaire à respecter, je vaquais à mes occupations sans me presser, jouissant du soleil, de la lumière, mangeant lorsque j'avais faim et dormant lorsque j'avais sommeil. Je n'avais encore jamais éprouvé un tel sentiment de liberté, étant passée de la férule des dames de Saint-Cyr à celle de la prison puis à celle d'un mari. Pour fêter cela, je cueillis un énorme bouquet des premières fleurs champêtres, puis je l'arrangeai harmonieusement dans la cruche pleine d'eau. Il donnait à cette pièce assez misérable un air chaleureux qui me ravit. J'étais certaine que Léon aurait jugé inutile cette décoration et l'aurait balayée d'un revers de la main. Durant ce temps heureux j'eus enfin l'impression que ma vie m'appartenait vraiment et je me promis de ne plus jamais laisser quelqu'un d'autre la gouverner à ma place.

Le premier dimanche après le départ de Léon, je décidai d'aller à la messe au village. L'hiver m'avait empêché de me rendre à l'office et, depuis le dégel, Léon avait refusé que je quitte la maison. La pratique de la religion m'avait manqué, ainsi que le contact avec les autres et surtout avec Margot.

Je me préparai avec soin. J'avais lavé et repassé mon unique jupe, mes jupons, mon bustier et mon bonnet, et c'est assez guillerette que je fis les deux lieues qui me séparaient de Neuville.

Je ne m'attardai point dans la rue et n'entrai point non plus dans l'unique boutique. Je n'avais pas d'argent. À l'église, je m'assis dans le fond afin de ne pas me faire remarquer. Je n'étais pas fière d'être l'épouse de Léon et j'ignorais ce qu'il avait pu conter à mon sujet. Dès la fin de l'office, je sortis. Margot, que j'avais aperçue plusieurs bancs devant moi, vint à ma rencontre :

— Gertrude, quel bonheur de te voir ! s'exclama-t-elle. J'ai si fort prié pour ta guérison que le Seigneur m'a exaucée. Léon nous avait inquiétés en nous affirmant que tu toussais si violemment qu'il craignait pour ta vie. Notre chamane m'avait donné des plantes pour toi, peut-être t'ont-elles guérie ?

Je pâlis. Ainsi, Léon avait préparé ma mort... La stupeur dut se lire sur mon visage, car Margot, me prenant par le bras, me força à m'asseoir sur un banc :

— Tu me sembles encore bien faible !

— Ce n'est pas cela... c'est que... je n'ai jamais été malade.

— Jamais ?

— Non. Léon a inventé cette fable... parce qu'il refusait que je vienne au village. Il me battait et plusieurs fois il m'a menacée de mort...

— Oh, ma pauvre amie !

— Il est parti en début de semaine pour chasser le castor, c'est pourquoi j'ai pu revenir assister à la messe.

— Tu ne peux pas rester seule dans cette maison éloignée du village. Quelques tribus iroquoises ont repris les armes et veulent chasser les Blancs de leur territoire. Ils ont déjà attaqué deux villages plus au nord, ils ont massacré tous les hommes et enlevé les enfants et les femmes jeunes.

— Je croyais tous les Indiens pacifiques.

— Hélas, les Français sont amis avec les Népissingues, les Outaouais, les Ojibwas, les Poutéouatamis, les Mascoutens et d'autres encore, mais les Iroquois, les Agniers, les Onontagués et les Onneiouts ne pardonnent pas aux Français d'avoir introduit sur leur sol les épidémies qui ont ravagé leur peuple.

— De quelles épidémies parles-tu ?

— Avant l'arrivée des Blancs, nous ne connaissions pas la petite vérole, le typhus, le choléra, la peste... mais ces maladies ont tué tant d'Indiens que certaines tribus sont en passe de disparaître, alors leurs chefs choisissent d'envahir des villages de Blancs pour voler les enfants et les femmes en âge de procréer afin de reconstituer leur clan.

— C'est odieux !

Margot n'abonda pas dans mon sens. Sans doute trouvait-elle quelques justifications à cette pratique.

— Dernièrement, une tribu iroquoise a tué les cochons d'un fermier, car ils avaient ravagé leur champ de maïs. Le fermier, furieux, a tiré sur ceux qu'il considérait comme coupables. Mais, dans notre culture, l'homme n'est pas propriétaire des animaux. Les bêtes appartiennent à la nature et les tuer n'est pas une faute. Et c'est ce qui a réveillé les hostilités entre nos peuples.

— Pour des cochons ?

— Oui. Voilà pourquoi tu ne peux demeurer seule. Mon mari m'attend à la taverne et nous rejoignons Fort-Deschambault où il a été appelé pour prêter main-forte à la garnison. Les hommes de ma tribu ont pris les armes et se tiennent prêts à riposter. Viens avec moi.

La perspective de perdre, sitôt acquise, la liberté pour vivre enfermée dans un fort me rebuta. Je pensais aussi que Margot, par excès d'amitié, exagérait la situation pour me décider. Coquette fut mon alibi :

— Je ne peux abandonner ma vache qui m'a sauvée de la faim et du froid pendant ce si rude hiver.

— Alors va la chercher et dirige-toi le plus vite possible vers Fort-Deschambault.

Je le lui promis et nous nous séparâmes.

CHAPITRE

17 BIS

Anne

Mon cœur avait été ému par les paroles d'Augustin et je me sentais attirée par lui comme par un aimant. J'essayais de refouler ce sentiment étrange qui me faisait trembler, rire et pleurer sans raison apparente, mais n'y mettant aucune véritable conviction, j'échouais.

J'en avais, bien évidemment, entretenu Olympe et Jeanne, mais si la première m'enviait et me recommandait d'accepter ce mariage sans tarder, la seconde me conseillait de ne pas me laisser griser par mes sentiments et de réfléchir longuement.

Je ne pouvais pas avoir de conseils plus opposés. En fait, je n'en avais pas vraiment besoin, car je m'étais éprise d'Augustin au premier regard et j'étais persuadée que je ne pourrais plus être heureuse loin de lui.

Ma décision était prise. Dès que Mme de Caylus reviendrait à Saint-Cyr, je lui dirais que j'étais prête à épouser Augustin.

L'hiver donna enfin des signes de faiblesse. Les bourgeons naissants, le pépiement des oiseaux, les premiers rayons de soleil frappant les vitres annoncèrent le printemps. J'aurais dû me réjouir avec mes compagnes, je n'y parvenais pas. Je guettais le retour de Marguerite.

Pourquoi ne revenait-elle pas ?

Mille suppositions me torturaient l'esprit.

Mme de Caylus avait été contrainte de quitter la cour pour suivre son mari ? Prise par les divertissements de Versailles, elle m'avait oubliée ? Elle s'était fâchée avec Mme de Maintenon qui lui interdisait l'accès de Saint-Cyr ? (J'avais ouï dire que la nièce et la tante étaient souvent en conflit, la première menant une vie assez dissolue.) Mme de Maintenon avait appris que j'avais envoyé une lettre à Gertrude par l'intermédiaire de Mme de Caylus et nous punissait pour notre désobéissance ? Toutes ces hypothèses me peinaient mais ne m'anéantissaient point, car elles ne mettaient pas un terme définitif à mon rêve : celui d'épouser Augustin. Une seule me tourmentait au point de me donner d'abominables maux de tête : Augustin de Trimont avait changé d'avis à mon sujet et Mme de Caylus retardait le moment de m'en informer.

Petit à petit, cette idée s'imposa à moi. Et une fois le bonheur entrevu, la morne existence à Saint-Cyr me devint insupportable. J'en perdis le sommeil et l'appétit.

Et puis, un après-dîner Mme de Maintenon me fit appeler dans son bureau.

Ce n'était jamais anodin lorsqu'elle nous convoquait individuellement. En principe, c'était pour nous annoncer une nouvelle importante, rarement bonne : le décès d'un parent, une sanction pour une faute. Pour ma part, comme je n'avais plus de famille, il ne pouvait s'agir que d'une faute. Je pensais qu'elle avait découvert ma correspondance avec Gertrude et que j'allais être sévèrement punie.

— Entrez, mon enfant, me dit-elle lorsque je me présentai à la porte.

Elle n'était plus dans sa niche, mais assise derrière sa table de travail, une feuille de papier à la main. Elle me dévisagea un instant et soupira.

— Votre maîtresse s'inquiète pour votre santé.

Soulagée par cette entrée en matière, je répondis sagement :

— Il ne le faut pas, madame. Le changement de saison me trouble sans doute les sangs.

— Je demanderai à notre apothicairesse qu'elle vous prépare une tisane de sauge et de thym.

— Je vous remercie, madame.

Je baissai la tête, autant pour lui cacher mes cernes et mon teint blême que pour marquer mon respect. Un silence embarrassant s'installa. J'avais hâte qu'elle me délivre le motif de cette convocation, et en même temps, je le redoutais. Mme de Maintenon soupira à nouveau.

— Je tiens là l'accord de Sa Majesté pour votre union avec M. Augustin de Trimont.

Je vacillai. Mon cœur tambourinait si fort dans ma poitrine que je doutais d'avoir bien entendu. Je le comprimais de mes deux mains. Mon geste et ma pâleur soudaine inquiétèrent Mme de Maintenon :

— Asseyez-vous, mademoiselle, me dit-elle en me désignant un ployant posé contre le mur.

Le sens de sa phrase n'atteignit point mon cerveau, parce qu'une voix s'était mise à chanter en moi : « Il t'aime ! Il t'aime ! » L'air me parut plus léger, la lumière plus vive et les forces qui avaient menacé de m'abandonner quelques instants plus tôt me revinrent soudainement. Un sourire naquit sur mes lèvres.

— Merci, madame, je vais bien.

— Je vois, lâcha Mme de Maintenon. Je regrette que vous quittiez notre maison ; cependant, j'espère que vous vous souviendrez de l'éducation reçue à

Saint-Cyr et que, lorsque vous serez loin d'ici, vous continuerez à mener une vie droite et pieuse, montrant ainsi l'exemple à tous les peuples qui hésitent à suivre le chemin de la chrétienté.

Sa phrase me parut obscure, mais il m'était impossible de lui demander des éclaircissements, et puis j'étais si heureuse que tout ce qui n'était pas Augustin m'indifférait.

— M. de Trimont souhaite que votre union soit célébrée vitement, car il envisage d'embarquer dès que possible.

Je souriais déjà à mon prochain mariage lorsque la fin de la phrase me fit l'effet d'une douche glaciale.

— Embarquer ? répétai-je.

— Oui. Le roi a nommé M. de Trimont contrôleur général pour l'importation des fourrures de la province du Québec et il doit prendre son poste sans tarder.

— Québec ? répétai-je encore.

Croyant sans doute que ce voyage m'angoissait, Mme de Maintenon m'expliqua :

— Je conçois que partir pour le Nouveau Monde soit déstabilisant pour vous, mais c'est à ce prix que Sa Majesté a donné son accord. La famille que vous fonderez là-bas devra faire honneur à notre maison.

— Je... je n'y manquerai pas, madame, bredouillai-je.

J'avais l'impression que mon cœur allait exploser de bonheur. Non seulement j'allais épouser Augustin, l'homme que j'aimais en secret, mais en plus, j'allais me rapprocher de Gertrude !

CHAPITRE

18

Gertrude

Je savourai ma liberté.

Coquette, revigorée par la bonne herbe qu'elle broutait, me donnait son affection et beaucoup de lait. Je travaillais avec bonheur à confectionner le beurre, le caillé et le fromage et ma réserve de lait grossissait. Lorsque le collecteur de Québec passerait, je lui vendrais ma production un bon prix. Je pourrais même lui acheter une pièce de tissu afin de me confectionner une nouvelle jupe. La mienne était si défraîchie et rapiécée qu'elle me faisait honte. Cette perspective me donnait du cœur à l'ouvrage. Et surtout, j'espérais qu'il me remettrait une lettre d'Héloïse et une lettre d'Anne. Je n'avais plus obtenu de nouvelles de Québec de tout l'hiver et je craignais je ne sais quelle catastrophe qui me priverait de cette précieuse amitié.

Le jour habituel de son passage, je le guettais sur le pas de la porte. Il ne vint pas. Je pensais qu'il avait du retard. Je le guettais donc le soir suivant et tous les autres, lui inventant toujours une excuse. Mais je dus me rendre à l'évidence : il ne viendrait pas.

Outre que ma production allait être perdue et avec elle le bénéfice que je comptais en tirer, il fallait, à n'en point douter, des événements d'importance pour qu'il n'effectue pas sa tournée.

Ma joie de vivre céda le pas à l'inquiétude.

Margot avait-elle eu raison de m'alarmer ? Les routes étaient-elles si peu sûres que personne ne se résolvait à les emprunter ? Les Iroquois avaient-ils déjà attaqué des convois ? Les Canadiens avaient-ils tous été réquisitionnés pour prendre les armes ? Allais-je devoir me résoudre à tout quitter ? Ou devais-je m'accrocher à mon peu de bien en priant Dieu que les Indiens m'épargnent ?

J'en étais là de mes réflexions lorsque le bruit de chevaux lancés au galop me fit dresser l'oreille.

Les Indiens !

Je courus à l'étable me cacher derrière Coquette, en sachant que cela ne servait à rien. Le cœur battant, j'attendis que la porte s'ouvre à la volée devant une horde de sauvages, la hache à la main.

— Gertrude ! Gertrude ! appela une voix féminine.

Margot !

Soulagée, je sortis de ma cachette. Elle montait un cheval roux et était accompagnée de trois soldats en uniforme.

— Viens vite ! Les Hurons ont attaqué Neuville !

— Seigneur ! Ont-ils enlevé les enfants ?

— Non. Tous avaient été mis en lieu sûr... mais beaucoup d'hommes ont péri pour défendre le village qui a été incendié.

Mon sang se glaça. Un nom me brûla les lèvres. Je n'osais le prononcer, aussi je contournai la difficulté en demandant :

— Ton mari ?

— Il est sain et sauf.

— Et ton frère ?

— Je n'ai pas de nouvelles.

Ma gorge se serra.

Je me rendis compte alors que Nayati était très important pour moi, mais que j'avais refusé de me l'avouer.

— S'il était là, il te conseillerait vivement de te mettre à l'abri, ajouta Margot.

C'est cette phrase qui me décida.

— Si vous avez de la nourriture, elle sera la bienvenue, me dit celui qui me parut être un officier, car ces satanés Indiens, trop lâches pour attaquer les forts, préfèrent nous affamer en nous assiégeant.

En hâte, j'enveloppai beurre et fromages dans une étoffe et je tendis deux jarres de caillé aux soldats. J'allais courir dans le pré pour ramener Coquette afin qu'elle nous suive, mais l'officier m'arrêta :

— Nous ne pouvons nous encombrer de ce ruminant. Nous allons filer grand train et par des chemins malaisés afin d'atteindre Fort-Deschambault avant la nuit... Elle ne pourra pas suivre. Ou alors, il faut l'abattre pour consommer sa viande.

— Non ! hurlai-je... ce n'est pas possible !

Ma sensiblerie féminine l'agaça, je le vis au regard ulcéré qu'il m'adressa. Je passai outre et je courus jusqu'au champ pour détacher la vache de son pieu. Ainsi, elle brouterait à son aise et survivrait peut-être.

— Adieu, ma Coquette, lui murmurai-je en lui caressant le museau.

Je revins vers le groupe sans me retourner. Margot m'aida à monter en croupe derrière elle et nous nous éloignâmes.

Je fus assez étonnée en découvrant que Fort-Deschambault n'était qu'un fortin de bois carré pourvu de quatre bastions et entouré d'une palissade de pieux fichés dans le sol. Une poignée de soldats, le fusil sur l'épaule, faisaient les cent pas derrière la clôture, j'en aperçus d'autres dans les bastions, mais j'aurais juré qu'ils n'étaient pas plus de vingt. C'était une protection assez dérisoire contre les Indiens.

La cour intérieure était pleine de chariots chargés de vivres, de coffres et de tout ce que les fermiers des alentours voulaient sauver du pillage. Il y avait aussi des vaches qui meuglaient, des cochons qui grognaient, des poules qui caquetaient, des chevaux qui raclaient le sol de leur sabot. Des hommes lançaient des ordres, des femmes apeurées pleuraient un bébé dans les bras, des enfants se pourchassaient en criant. J'eus l'impression d'arriver dans l'arche de Noé avant la tempête.

Il n'y avait, évidemment, pas assez de place pour loger commodément tous ces gens qui venaient de plusieurs villages des environs. À l'heure du souper, ceux qui avaient quelques provisions se groupèrent à proximité de leur chariot pour manger, tandis que des soldats distribuèrent dans les récipients qu'on leur tendait une sorte de ragoût dont je n'aurais pas voulu la recette, parce que l'odeur n'en était pas appétissante. Margot me proposa des galettes de maïs qu'elle avait confectionnées. Nous nous étions installées un peu à l'écart pour les déguster à notre aise, mais une fillette les guigna avec tant d'envie que nous les partageâmes avec elle, puis avec son petit frère qui s'était approché à son tour.

Tout à coup, leur mère fut devant nous. Elle tenait un enfançon contre son sein, et une gamine qui marchait à peine était accrochée à sa jupe. Son regard se posa sans aménité sur Margot.

— Vous n'avez rien à faire parmi nous. C'est à cause des vôtres que nous avons tout quitté pour nous réfugier ici.

— Madame, lui répondit mon amie très calmement, ceux qui nous attaquent sont du peuple iroquois. Je suis huronne, baptisée, et j'ai épousé un Français.

— C'est égal, grommela la femme, vous êtes indienne et donc fourbe comme tous ceux de votre race. Venez, les enfants, ne restez pas ici. On ne sait jamais...

Elle poussa devant elle les deux enfants qui avaient savouré nos galettes et alla exposer ses doutes à d'autres commères un peu plus loin.

Le visage de Margot s'était empourpré et elle contenait à grand-peine ses larmes.

— Je ne suis bien nulle part, me confia-t-elle. Les miens m'assurent que je les ai trahis en acceptant d'être chrétienne et les Blancs me repoussent parce qu'ils me considèrent comme une ennemie.

— Tu n'as pas eu le choix.

— Si j'avais pu choisir de mourir plutôt que d'accepter d'épouser un homme blanc. Ma mort aurait honoré ma famille et toute ma tribu, alors que là...

— Ne dis pas cela, Margot.

Tout à coup, un timide sourire se dessina sur ses lèvres.

— Tu as raison... parce que maintenant, j'ai une vie en moi et... et c'est merveilleux.

— Tu attends un enfant ?

— Oui. Jean-Louis l'ignore encore. Seul mon frère le sait. Il fonde de grands espoirs sur mon fils... Peut-être sera-t-il un jour Grand Soleil ?

Je ne comprenais pas toutes ses explications, mais je l'embrassai :

— Je suis très heureuse pour toi. Tu vois que la vie a du bon !

— Oh, excuse-moi, mon amie, je me plains alors que toi-même tu traverses un dur moment de ton existence. J'ai entendu dire au village que Léon était parti chasser le castor ?

— Oui. Il espère gagner de l'argent pour racheter des animaux, du fourrage, du bois et...

Un clairon sonna.

Aussitôt des cris stridents de femmes affolées retentirent en même temps que cette exclamation répétée par tous :

— Les Indiens attaquent ! Les Indiens attaquent !

Une voix sèche ordonna :

— Tous à l'abri sous les chariots !

Des coups de feu éclatèrent. Des hurlements, des hennissements de chevaux, un bruit de cavalcade nous parvinrent. Nous nous attendions à chaque instant à ce qu'une pluie de flèches s'abatte sur nous, et à ce que la porte soit enfoncée par les Indiens dont les cris de guerre nous vrillaient les tympans. Mais après quelques angoissantes minutes, nous entendîmes un clairon sonner la charge dans le lointain. Un soldat, qui devait voir la scène de la cime du bastion où il était en faction, cria :

— Ce sont les nôtres qui les prennent à revers !

— Jean-Louis doit en être, me souffla Margot, et mon frère aussi. Pourvu qu'il ne leur arrive rien de fâcheux.

Je lui serrai le bras pour la réconforter, et j'adressai aux cieux une prière pour que tous deux soient protégés.

De nombreux claquements de fusils, des hurlements de guerre, des cris, une course des chevaux autour de l'enceinte mirent nos nerfs à rude épreuve.

— On n'est pas assez nombreux ! se plaignit un homme qui était allé se rendre compte de la situation. Y vont nous scalper !

L'avertissement était stupide, car aussitôt, les femmes sanglotèrent en serrant leurs enfants contre leur jupe.

Du haut du fort, les soldats ripostaient de leur mieux.

Tous ceux qui s'étaient blottis sous les chariots, hommes, femmes, enfants, étaient terrorisés, mais le bruit était tel qu'il nous était impossible de deviner qui prenait le dessus.

Puis les tirs cessèrent, les cris et hurlements s'éloignèrent. Les nôtres avaient-ils réussi à chasser les Indiens ? Nous nous regardions, incrédules, un vague sourire de soulagement sur les lèvres. Les gardes se précipitèrent pour ouvrir les portes du fort et une vingtaine de cavaliers, soldats et Indiens y pénétrèrent en trombe.

Margot se leva pour voir si Jean-Louis était dans le groupe et inconsciemment je cherchai Nayati du regard.

Soudain je l'aperçus, droit et fier, juché sur un cheval noir, dans l'habit traditionnel de son peuple, culotte en peau de chevreuil et mocassins aux pieds. Mon cœur s'emballa. Il descendit prestement de sa monture et me dit :

— Ah, tu es là... c'est bien.

Ces mots, à dire vrai, étaient assez communs, mais mon esprit était si perturbé que j'eus l'impression qu'il me déclarait sa flamme et, dans l'euphorie de ce moment, je lui répondis :

— J'ai eu très peur pour vous !

— Pour moi ? s'étonna-t-il. Ton mari ne lutte-t-il pas aux côtés des nôtres ?

— Il est parti voici plusieurs jours chasser le castor.

— Ah, lui aussi croit que l'on peut s'enrichir en tuant le castor... On peut aussi y mourir. Il y a de nombreux pièges dans le Pays-d'en-Haut.

Il garda un instant le silence comme s'il avait la vision de Léon mort. Cela me fit frémir. Pourtant, j'étais certaine que Léon était le genre d'homme dur au mal, à qui même la mort ne s'attaquait pas. Puis, changeant de sujet, Nayati poursuivit :

— Nous avons réussi à mettre les Iroquois en fuite, mais ils ne sont pas encore vaincus. Leur peuple est aux abois. Ils reviendront. En attendant les renforts qu'Onontio[1] nous promet, tu ne peux pas retourner dans ta maison, il te faut un abri sûr.

Il avait dit cela d'une voix douce qui me fit chavirer. C'était si nouveau qu'un homme s'inquiète pour moi !

Margot s'approcha de nous au bras de Jean-Louis qui rayonnait de bonheur. Mon amie venait certainement de lui apprendre qu'il allait être père.

1. *Onontio* signifie Grande Montagne dans le langage huron. Ce nom est celui du premier gouverneur de Nouvelle France, Montmagny, traduit « Mons Magnus », puis « Grande Montagne ». Onontio devint l'appellation usuelle de tous les gouverneurs de la Nouvelle-France jusqu'en 1760.

— Maintenant, Margot m'est doublement précieuse, nous dit Jean-Louis, et je ne veux pas qu'elle coure le moindre risque. Ici, la région est dangereuse depuis que les Iroquois ont repris la guerre ; aussi, je vais la faire escorter jusqu'à Québec où elle sera accueillie au couvent des ursulines jusqu'à mon retour.

— Je serai aussi bien parmi les miens, dans mon village, objecta mon amie.

— Ta nouvelle famille est chrétienne et je serai plus rassuré de te savoir entourée par les religieuses que par... enfin les rites de ton ancienne religion sont parfois si déroutants, conclut-il.

Margot fit la moue, mais ne s'opposa pas à son mari. Nayati se tut aussi, respectant la volonté de l'époux de sa sœur ; il ajouta même :

— Il me semble qu'il serait bon que Gertrude y aille aussi.

— Oh, oui ! s'enthousiasma Margot, ainsi la solitude me pèsera moins.

Je n'eus pas le cœur de protester et une fois encore mon destin se décida contre mon gré.

CHAPITRE

18 BIS

Anne

Je n'avais eu que la nuit pour informer Jeanne et Olympe de mon prochain mariage. Elles s'étaient réjouies pour moi, mais notre séparation nous avait fait verser quelques larmes. Et lorsque je leur avais appris que j'allais certainement revoir Gertrude à Québec, elles avaient poussé des cris de surprise, vite étouffés sous les draps. Nous avions égrainé nos souvenirs, nous remémorant les bons moments passés ensemble, parlant avec émotion de Louise, Charlotte, Isabeau, Hortense et Éléonore qui, elles aussi, étaient parties de Saint-Cyr pour suivre leur destinée.

Conscientes de partager la même chambre pour la dernière fois, nous bavardâmes jusqu'aux premières lueurs de l'aube. Jeanne et Olympe regagnèrent leur couche quelques minutes avant que la surveillante vienne tirer les rideaux de nos courtines pour nous réveiller.

Après l'office du matin, une novice m'accompagna dans le bureau de la mère supérieure.

— Mme de Guigue, gouvernante de Mme de Trimont vient vous chercher, m'annonça Mme de Loubert.

Soudain, au moment de quitter cette maison qui m'avait accueillie au décès de mes parents, l'angoisse me noua la gorge. Je laissais des amies, un lieu calme et agréable. Qu'allais-je trouver en dehors de ces murs ? Le bonheur ou le malheur ?

Je n'eus point le temps de m'appesantir, Mme de Guigue me tendit des hardes[1] et j'ôtai ma tenue de demoiselle de Saint-Cyr derrière un paravent qui avait été apporté dans le bureau de la supérieure à cet effet. Lorsque je reparus, je n'étais plus une demoiselle de Saint-Cyr et mon cœur se serra. Je me sentis soudain bien vulnérable et j'aurais donné cher pour qu'Augustin soit là pour me soutenir. Je m'agenouillai devant Mme de Loubert :

— Bénissez-moi, ma mère, la suppliai-je humblement.

Elle dessina un signe de croix au-dessus de mon front. Je me relevai et, sans aucun bagage, je suivis

1. Vêtements.

Mme de Guigue jusqu'à une voiture qui nous attendait dans la cour.

Je n'osais même pas demander où nous allions et, assise le dos bien droit contre la banquette, je regardais défiler le paysage par l'ouverture de la portière. C'était la première fois que je sortais de Saint-Cyr et j'avais l'impression de découvrir le monde alors que la voiture traversait des champs et des bois. Mme de Guigue ne m'adressa pas la parole. Peut-être était-elle contrariée d'avoir dû venir me chercher à Saint-Cyr ? Son attitude me troubla. Quel accueil me réservait donc la famille d'Augustin ? Je supposais, en effet, que, étant orpheline, j'allais être hébergée par la famille d'Augustin en attendant le mariage.

À peine une demi-heure plus tard, après avoir franchi un majestueux portail débouchant sur une allée plantée d'arbres, la voiture s'immobilisa devant le perron d'une vaste bâtisse. Mme de Guigue, qui s'était assoupie, sa tête dodelinant sur son menton grassouillet, se réveilla.

— Nous voici arrivées, grommela-t-elle.

L'angoisse me serra la poitrine tandis que je posais le pied sur le sol. Est-ce que personne n'allait vouloir me parler ? Et pourquoi ? Les parents d'Augustin n'approuvaient-ils pas ce mariage ? Où était Augustin ? Allais-je le revoir avant le mariage ? Je l'avais à peine aperçu et, tout compte fait, il allait m'épouser sans que je lui aie donné mon accord. N'avait-il pas eu la patience d'attendre ma réponse ? Était-il si sûr de mes sentiments ? Se jouait-il de moi et ne cherchait-il, après tout, qu'une demoiselle prête à le suivre au bout du monde ?

J'en étais là de mes interrogations lorsqu'une dame sobrement vêtue – un petit bonnet sur les cheveux – parut sur le seuil et m'appela :

— Venez, venez, mon enfant. Ah, j'avais hâte de vous voir !

Supposant qu'il s'agissait de la mère d'Augustin, je m'approchai et lui fis une petite révérence. Elle me saisit le bras, plaça son face-à-main devant ses yeux, me dévisagea avec insistance et finit par dire :

— Parfait, parfait. Entrons au salon, mon mari nous y attend. Nous avons des choses à régler.

Elle me conduisit dans un salon orné de tapisseries représentant des scènes de chasse. M. de Trimont se chauffait le dos à la cheminée où un feu crépitait. C'était un petit homme ventru, qui me sourit chaleureusement.

— Ainsi donc, voici notre future bru.

— Elle est tout à fait charmante, ajouta son épouse, et pour une fois, je partage les goûts de notre fils. Je désespérais de le voir marié, il refusait tous les partis que nous lui proposions !

— Et que cette demoiselle vienne de la prestigieuse maison de Saint-Cyr est un gage de bonne moralité... Avouons, ma mie, dit-il en se tournant vers son épouse, qu'Augustin nous a présenté quelques dames que nous aurions eu du mal à accepter au sein de notre famille.

— Il est vrai, et nous avions à cœur d'accueillir dans notre maison une demoiselle irréprochable. Il en va de l'avenir de notre famille. Notre fils aîné est malheureusement décédé au service du roi alors qu'il devait épouser une demoiselle de haute lignée bretonne.

Je rougis, mal à l'aise.

Je n'étais issue que de la petite noblesse du Languedoc et je n'avais pour dot que celle que voudrait bien m'accorder le roi. Mon seul atout, je le compris, était d'avoir été élevée à Saint-Cyr.

— Vous êtes orpheline, n'est-ce pas ? reprit M. de Trimont.

— Oui, soufflai-je.

— Vous trouverez affection et soutien au sein de notre foyer.

— Fort peu de temps, hélas, soupira son épouse, puisque Augustin s'embarque pour le Nouveau Monde dans trois jours.

— Trois jours ! m'exclamai-je.

— Le notaire sera là demain matin pour la signature de l'acte de mariage et le prêtre bénira votre union dans la chapelle de notre propriété aussitôt après.

— Francette va vous montrer votre chambre, ajouta Mme de Trimont en tirant sur le cordon d'une sonnette. Je vous ai commandé des vêtements pour la cérémonie, j'espère qu'ils seront à votre taille. Le souper vous sera servi dans votre chambre.

— Quand verrai-je Augustin ?

— Demain. Il serait tout à fait déplacé que vous le rencontriez avant et la tradition veut qu'il ne dorme pas ce soir sous le même toit que vous, me répondit Mme de Trimont. Je vous souhaite une bonne nuit.

Je devais prononcer la formule de politesse qu'ils attendaient. Je l'avais répétée dans la calèche et je la débitais sans faillir.

— Je vous remercie pour la chaleur de votre accueil et je suis très heureuse de faire bientôt partie de votre très honorable famille.

Ils me sourirent, l'air content, et je me retirai. Mais je savais que l'émotion, l'attente et l'anxiété m'empêcheraient de dormir.

CHAPITRE

19

Gertrude

Je partis donc pour Québec sans aucun bagage. De toute façon, je n'avais guère mieux que ce que je portais sur moi. Margot, elle, emportait quelques effets dans un baluchon.

— Les Iroquois se sont retirés sur leur terre plus au sud afin, certainement, d'y préparer de nouvelles attaques, expliqua Nayati, nous ne devons pas perdre de temps.

Je n'étais jamais montée à cheval et l'avouer me coûta. Margot et Nayati étaient si à l'aise sur cet animal !

— Je t'apprendrai. En attendant, tu monteras derrière Margot. Tu es si légère que la brave bête ne se rendra même pas compte qu'elle porte deux cavalières sur son dos.

Il m'enveloppa d'un regard bienveillant qui me troubla. Les gentilshommes de France m'auraient, c'est certain, jugée trop maigre, mais il me sembla que Nayati me trouvait très à son goût. Je lui souris et il me sourit à son tour le plus naturellement du monde. Une onde de bonheur m'enveloppa. Depuis le premier instant de notre rencontre, je me sentais bien dès que Nayati était avec moi. Me souvenant brutalement que j'étais mariée devant Dieu, je détournai mon regard et je m'efforçai de chasser ce sentiment nouveau et agréable qui prenait place dans mon cœur.

Au début de notre voyage, nous étions inquiets, craignant toujours d'apercevoir des Iroquois, mais les heures s'écoulant sans alerte, nous nous détendîmes et le voyage fut plaisant.

Le soir venu, afin que Margot puisse se reposer confortablement installée, nous nous arrêtions chez des fermiers amis de Jean-Louis, qui nous accueillaient chaleureusement. Je fis ainsi la connaissance de couples dont l'épouse venait comme moi de France. Deux étaient orphelines et avaient été envoyées en Nouvelle-France avec une dot du roi, la troisième était une Huronne qui bavarda aussitôt avec Margot dans leur langue.

Ce voyage n'avait rien à voir avec la trajet long et éprouvant que j'avais effectué avec Léon et les animaux dix mois auparavant. Lorsque le souvenir m'en revint, il me parut fort ancien, comme si j'avais vieilli de dix ans depuis ce temps-là... et pourtant, curieusement, je me sentais plus jeune et plus émotive qu'à cette époque.

Nous pénétrâmes dans Québec par la ville basse. Les rues étaient étroites, sales et malodorantes, jonchées d'ordures et parcourues par des chiens, des chats et des cochons en grand nombre. J'en fus étonnée car je pensais qu'une ville neuve devait être propre, avec des maisons bien rangées, des rues pavées. En fait, je ne connaissais que Versailles et je m'étais imaginé que la plupart des villes avaient des avenues larges, pavées et propres comme celles menant de Saint-Cyr au château de notre roi.

Nous avancions lentement, gênés par les boutiques empiétant sur la chaussée, par les portefaix déchargeant ici et là le contenu de charrettes, par des maçons et menuisiers qui construisaient partout des bâtisses, par les marchands ambulants et par les piétons pataugeant dans le bourbier lorsqu'il n'y avait plus de banquettes[1]. Jean-Louis rouspéta, mais Nayati resta calme et souriant, indifférent à toute cette agitation.

1. Trottoirs en bois que les commerçants se devaient d'avoir devant leur commerce pour faciliter la circulation des piétons mais qui parfois étaient absents.

Jean-Louis nous guida jusqu'à la ville haute par un chemin abrupt. Les maisons y étaient plus cossues et avaient toutes un jardin.

Il nous fit admirer le chantier du château Saint-Louis, résidence du sieur de Frontenac, le gouverneur.

— L'ancien bâtiment n'était ni assez grand ni assez beau pour lui, nous expliqua-t-il.

Nous arrivâmes bientôt devant le couvent des ursulines.

Jean-Louis nous aida à descendre de monture, puis il serra Margot dans ses bras.

— Ici vous serez en sécurité et vous ne manquerez de rien. Dès que les Iroquois se seront calmés, je reviendrai vous chercher, et si votre état ne vous permet pas de revenir chez nous, nous prendrons une maison à Québec en attendant la délivrance. Je ne veux prendre aucun risque, ni pour l'enfant, ni pour vous. Vous savez que vous m'êtes très chère.

Margot avait bien de la chance d'avoir un mari si attentionné. J'aurais bien voulu, moi aussi, entendre ces paroles de la bouche de Léon. Hélas, c'est la violence, et non la tendresse, qui était mon lot quotidien.

— Merci, murmura-t-elle simplement.

Il me semble qu'à sa place j'aurais sauté au cou d'un homme si gentil, mais cela aurait été tout à fait inconvenant.

Nayati s'approcha de moi et, posant sa main sur son cœur dans un geste très chevaleresque, il me dit d'un ton solennel :

— Que ton Dieu et le Grand Esprit te gardent.

Prise au dépourvu, je lui répondis :

— Heu... vous aussi.

Jean-Louis toqua à la lourde porte de chêne. Le judas grillagé s'ouvrit et la sœur portière s'informa :

— Qui va là ?

— Margot, mon épouse et Gertrude son amie, chrétiennes toutes les deux. Elles viennent se mettre sous votre protection.

— Entrez.

Nous franchîmes le seuil. Margot se retourna pour faire signe à Jean-Louis qui lui envoya un baiser. J'eus l'audace de faire un geste de la main en direction de Nayati. Son visage s'illumina d'un sourire.

La porte se referma derrière nous et je ne pus me départir d'un sentiment de crainte. Comme si je me retrouvais à nouveau prisonnière.

CHAPITRE

19 BIS

Anne

Le chant des oiseaux dans les branches des arbres du parc me tira du sommeil où j'avais fini par sombrer. Le soleil se levait à peine et je balançais entre la joie d'être bientôt unie à Augustin et l'angoisse de ce que cette nouvelle vie, dans un pays inconnu et lointain avec un homme que je connaissais à peine, me réservait.

Francette entra dans la chambre, une cruche d'eau à la main.

— Il faut vous préparer, mademoiselle.

Je me bassinai le visage, le cou et les bras, je les séchai dans un linge propre. Francette m'aida ensuite à enfiler les bas et la chemise de lin fin, à passer les jupons de baptiste fraîchement empesés, puis la jupe de soie bleu nuit simple. Seul le bustier était discrètement brodé et une fine dentelle bordait les manches bouffantes.

Elle frisa mes cheveux au fer et les attacha avec quelques rubans assortis à la jupe.

Ma tenue n'avait rien de fastueux. La famille d'Augustin ne devait pas avoir les moyens d'offrir à leur fils un grand mariage. Cela m'indifférait. Je n'avais pas été habituée aux toilettes et celle-là me suffisait. Mon seul souci était de plaire à Augustin. J'aurais voulu l'éblouir pour qu'il ne regrette pas de m'épouser et je doutais que cette mise si simple y réussisse.

Lorsque je fus prête, Francette m'annonça que l'on m'attendait au salon. Je m'y rendis, espérant voir Augustin. Il n'y était pas. Il y avait là M. et Mme de Trimont, une dame âgée assise dans un fauteuil, un couple d'une quarantaine d'années et un officier.

— Ah, voici la future mariée ! s'exclama Mme de Trimont.

Intimidée, j'avançai. Je sentais tous les regards braqués sur moi et, bien qu'ils ne fussent pas très nombreux, cela me gêna. On me nomma les personnes présentes et je leur fis à chacune une petite révérence, ce qui sembla combler d'aise Mme de Trimont. Je remarquai qu'elle était aussi sobrement vêtue que la veille et qu'aucun des invités n'avait de tenue de fête. Seule la dame âgée, qui, je l'appris plus tard, était la mère de M. de Trimont, portait une parure de rubis autour de son cou grassouillet, un poinçon d'or dans sa chevelure poudrée et coiffée à l'ancienne mode tandis que son bustier brodé de fils d'argent était orné de nombreux rubans.

— Nous attendons le notaire, m'annonça M. de Trimont qui guettait à la fenêtre donnant sur la cour.

J'avais envie d'ajouter que j'attendais aussi Augustin.

Mme de Trimont lança deux ou trois sujets de conversation, qui s'essoufflèrent rapidement, laissant la place à des silences ponctués par les toussotements de M. de Trimont et les soupirs de sa mère. Je m'étais placée debout derrière la chaise de la maîtresse de maison, et comme on ne s'adressait pas à moi, je n'ouvris pas la bouche.

Il me semblait qu'assister à ce mariage était une corvée pour les gens présents et j'en étais humiliée.

J'espérais qu'Augustin arriverait vitement, qu'il me prendrait dans ses bras et me ferait oublier tout le reste.

Enfin, le notaire entra dans la pièce, accompagné d'un jeune clerc et d'Augustin.

Je souris. Il était là, enfin. Une bouffée de chaleur et de bonheur me monta au visage.

Il embrassa tendrement sa grand-mère puis sa mère, donna l'accolade à son père et dit un mot de bienvenue aux autres personnes.

— Je suis heureux de vous revoir, me dit-il en s'inclinant devant moi.

C'était tout ? La déception me laissa pantoise.

— Ne perdons pas de temps, lança M. de Trimont, maître Leboulet est pressé et le prêtre qui doit bénir votre union est attendu dans le bourg pour assister une pauvresse au seuil de la mort.

Je frissonnai. N'était-ce pas un mauvais présage ?

Maître Leboulet lut le contrat de mariage. Ce fut rapide. Je n'apportais que la dot que le roi m'avait accordée exceptionnellement à la condition que je suive mon mari à Québec. Augustin bénéficiait d'une somme identique donnée par son père pour ses frais d'établissement. Nous signâmes, ses parents et le couple qui était nos témoins, également.

La cérémonie dans la petite chapelle située à l'extrémité de l'aile est du bâtiment fut tout aussi courte. Un unique bouquet de lys trônait sur l'autel. Le prêtre nous posa la question traditionnelle, et lorsque j'eus répondu après Augustin que je l'acceptais pour époux devant Dieu, la croix dessinée au-dessus de nous, puis l'eau bénite aspergée sur nos fronts sanctifièrent notre union et la rendirent indestructible.

Augustin me tendit son poing et nous sortîmes du lieu saint côte à côte.

J'avais le cœur serré tant ce mariage ne ressemblait en rien à ce que je m'étais imaginé.

Il y manquait de l'émotion, des musiciens, de la musique, des belles robes, des parfums, des fleurs, des rires d'enfants, des invités ravis. J'étais persuadée d'être la cause de cette pénible situation.

Pendant le repas qui suivit, le principal sujet de conversation fut Québec. Chacun conta un fait ou une anecdote dont il avait eu connaissance, sur la férocité des Indiens, la roublardise des chasseurs de peau, la rigueur des hivers, les ours qui dévoraient les petits enfants... J'écoutais et la peur s'insinuait en moi.

Allais-je réussir à supporter tout cela ?

À aucun moment, on ne me mêla à la conversation. J'étais fille et jeune, et mon rôle n'était point de parler, mais seulement d'écouter comme on me l'avait appris à Saint-Cyr. Plusieurs fois mon regard croisa celui d'Augustin et je vis avec bonheur la même flamme briller dans ses yeux que le jour de notre rencontre. Il m'aimait. C'était certain.

Les convives avaient à peine goûté les confitures sèches, dragées et fruits confits déposés sur la table par les servantes que Mme de Trimont et son époux se levèrent et, prétextant la fatigue occasionnée par leur âge et cette journée éprouvante, ils prirent congé de leurs hôtes. Aussitôt ceux-ci remercièrent, nous renouvelèrent leurs souhaits de bonheur et s'éclipsèrent à leur tour.

Augustin me saisit la main et, se penchant vers moi, me chuchota à l'oreille :

— Enfin seuls !

À pas vifs, nous traversâmes un long corridor, puis nous gravîmes un escalier en colimaçon qui nous conduisit dans une vaste pièce ronde :

— Mon domaine ! s'exclama-t-il en ouvrant la porte.

Il y avait là un lit, deux coffres. Devant la fenêtre, une table de travail jonchée de livres, un fauteuil. Deux tapisseries ornaient les murs, mais aucun tapis ne réchauffait le sol dallé et, dans la vaste cheminée, il n'y avait pas de feu.

Dès qu'il eut refermé la porte, Augustin me serra dans ses bras en me picorant le visage et le cou de baisers.

— Ah, ma mie, je suis si heureux que vous soyez enfin mienne !

Déçue tout de même par le déroulement de la cérémonie, je ne pus m'empêcher de remarquer :

— Vos parents ne semblent pas partager votre joie et je crains qu'ils ne me jugent pas digne de vous.

— N'en croyez rien. Mon père a dilapidé toute notre fortune au jeu et nous sommes au bord de la ruine. Mes parents ont souffert de ne point pouvoir nous offrir un beau mariage, c'est ce qui explique cette atmosphère tendue. Maintenant, ma mie, nous allons nous rattraper !

Il me souleva dans ses bras puissants et me jeta littéralement sur le lit, où j'atterris en riant.

Dès le lendemain matin, nous quittions le domaine à bord d'une voiture louée par Augustin. Un cocher la conduisait.

N'ayant guère trouvé le temps de bavarder pendant la nuit, nous fîmes plus ample connaissance durant le trajet jusqu'à La Rochelle. Il me demanda si je n'étais pas triste de quitter la France pour le Québec. Je lui avouai qu'au contraire cela m'enchantait, car j'espérais y revoir mon amie Gertrude. Je lui contai notre histoire et notre séparation lui fit venir les larmes aux yeux. Cette sensibilité me toucha. Il me promit de mettre tout en œuvre pour la retrouver le plus vite possible. Il ne me cacha pas que ce serait une entreprise longue et difficile, car le pays était vaste et bloqué par l'hiver près de six mois sur douze. Je compris que mon cœur ne m'avait point trompée et que ma vie serait belle tant qu'il serait à mes côtés. Le froid, les ours, les Indiens ne m'effrayaient plus. J'étais prête à toutes les aventures avec lui.

CHAPITRE

20

Gertrude

La vie au couvent des Ursulines ressemblait fort à ce que j'avais vécu à Saint-Cyr.

Nous nous levions tôt, et après avoir entendu la messe à la chapelle, nous nous occupions à broder, à coudre, à tapisser tout en écoutant la lecture d'un texte biblique. Vers une heure, nous mangions un frugal repas, puis nous avions droit à une récréation dans le jardin. Les plus âgées s'asseyaient sur des bancs pour bavarder ou lire, les plus jeunes jouaient aux quilles ou aux osselets. Nous étions une trentaine de dames ou de demoiselles hébergées par les religieuses sans que j'en connaisse le motif. Et je m'adaptais aisément à cette existence qui m'était familière.

Je fus un instant tentée de demeurer là pour toujours. Au moins, j'éviterais la brutalité de Léon et je ne souffrirais plus jamais de faim et de froid, et cette vie de prières me rapprocherait de ma chère Anne.

En fait, lorsque j'avais franchi le portail de cette maison qui me rappelait tant Saint-Cyr, l'image d'Anne s'était imposée si fort à moi qu'il m'avait été impossible de me lier avec quelqu'un d'autre. J'aurais eu la cruelle impression de la trahir. À chaque moment du jour et de la nuit, il me semblait qu'elle allait surgir, fraîche, légère, souriante, et me dire :

— Ah, Gertrude, comme vous m'avez manqué !

Margot eut plus de mal que moi à se plier au règlement. Elle supportait mal de rester assise à broder pendant de longues heures et la règle du silence était pour elle une torture.

— Je ne peux pas rester ici, m'annonça-t-elle une semaine après notre arrivée, toutes ces contraintes sont intolérables. J'ai besoin de liberté, de marcher, de courir, d'être dehors quand je veux. Ici on décide tout à notre place et je vais y périr d'ennui.

Je crois qu'elle me tira de cette sorte de nostalgie dans laquelle je me laissais sombrer par commodité. Elle avait raison. Nous n'étions pas faites pour le couvent. Elle parce qu'elle avait toujours vécu en contact avec la nature, et moi parce qu'il me parut qu'un autre destin m'attendait.

— Je vais écrire à Héloïse, je suis certaine qu'elle ne nous refusera pas l'hospitalité.

— Héloïse ? L'amie de votre sœur Charlotte, que vous avez rencontrée sur le bateau et qui réside à Québec ?

— Oui, c'est elle.

Lors d'une conversation, j'avais décrit à Margot mon voyage jusqu'au Nouveau Monde et, bien sûr, je lui avais parlé d'Héloïse et de Cléonice.

Il nous fut très difficile d'écrire cette missive, car nous savions qu'elle serait lue par les religieuses avant d'être acheminée à sa destinataire. Nous ne pouvions donc pas avouer que le couvent nous pesait, ni que nous espérions qu'Héloïse nous hébergerait. Après avoir tourné et retourné nos phrases, nous décidâmes de lui signaler simplement que nous étions chez les ursulines et que nous aurions plaisir à la voir.

Trois jours plus tard, nous étions appelées au parloir. Héloïse était là, vêtue avec goût, un étrange petit chapeau sur la tête. Comme nous n'étions point des nonnes, nous n'étions pas séparées des visiteurs par l'habituelle clôture de bois, et Héloïse, sans façon, se jeta dans mes bras.

— Ah, mon amie, je suis si heureuse de vous revoir !

Elle salua Margot, puis nous nous assîmes toutes les trois sur un banc, tandis qu'une religieuse se plaçait debout près de la porte, comme une sentinelle.

— Contez-moi ce qui vous amène dans ce couvent alors que je vous imaginais en train de cultiver la terre avec votre époux à plusieurs lieues de là.

Je lui ouvris mon cœur et lui expliquai mes malheurs.

— Ma pauvre amie, le destin ne vous a pas été favorable, me plaignit-elle.

J'omis de lui signaler qu'un homme prenait petit à petit de plus en plus d'importance pour moi. En parler était prématuré. Il y avait bien eu entre Nayati et moi quelques gestes, quelques regards, quelques souris, mais ce n'était pas grand-chose... Et puis j'étais toujours mariée et il me parut que la sage Héloïse n'approuverait pas la naissance de ce sentiment qui pouvait me conduire à trahir les liens sacrés du mariage.

Soudain, elle prit un air mutin et, baissa le ton :

— J'ai des nouvelles d'Anne.

Un cri de joie et de surprise m'échappa. La religieuse qui semblait s'être assoupie debout sursauta et m'adressa un regard de reproche. Rien ne devait troubler le calme du couvent. Je m'excusai.

— Votre lettre lui est bien parvenue et elle vous a répondu. Mon cousin m'a envoyé sa missive. Je l'ai reçue hier par un navire venant de France.

— Oh, vite, donnez-la-moi !

— Je ne l'ai pas apportée. Je savais que nous serions surveillées et qu'une religieuse la lirait avant vous. Ce n'est sans doute pas ce que vous souhaitez.

Ma déception était immense, mais Héloïse avait agi prudemment.

Je lui annonçai alors, à mots couverts, que le couvent nous pesait.

— Vous êtes les bienvenues chez moi. Eugène interviendra auprès du gouverneur afin d'obtenir l'autorisation de quitter cette maison. C'est l'affaire de quatre ou cinq jours, je m'y engage. Oh, j'ai hâte de vous recevoir ! Je vous ferai découvrir Québec. Vous verrez, c'est une ville agréable. On peut y faire de belles promenades en calèche, il y a des banquets, des bals et même du théâtre. On y donne bientôt *Nicomède*[1] chez le gouverneur !

Trois jours plus tard, Héloïse et son époux, munis d'une lettre du gouverneur, se présentaient à la mère supérieure des ursulines et nous quittâmes le couvent.

Héloïse habitait une vaste demeure et avait de nombreux domestiques à son service. Son époux, grâce à ses qualités et à sa formation de notaire, avait su se rendre indispensable auprès du comte

1. Tragédie de Pierre Corneille écrite en 1651.

de Frontesac et de la noblesse de la région, et leur train de vie s'était rapidement amélioré.

Le jour de mon arrivée, elle me remit la lettre d'Anne.

Les mains tremblantes, je déchirai le cachet de cire qui était celui de Mme de Caylus pour découvrir l'écriture si chère à mon cœur. Je ne m'étonnais pas d'y découvrir au dos une lettre destinée à un oncle inexistant, ni d'y voir autant de taches d'encre. Je soupçonnais là une ruse.

Chère amie,

J'étais si heureuse de recevoir de vos nouvelles et de savoir que vous allez bien. Mais la distance qui me sépare à présent de vous me déchire. Comment espérer nous revoir dans ces circonstances ? Je vais prier Dieu chaque jour pour qu'il nous réunisse.

Je pense chaque jour à vous. Votre amie pour la vie. Anne.

C'était bien court quand j'aurais voulu connaître jusqu'au moindre détail de son existence. J'embrassai le papier et je le glissai dans mon bustier contre mon cœur.

Un soupir m'échappa, car je pensais comme elle qu'il n'y avait aucune chance que nous nous revoyions un jour.

Un événement vint m'ôter pour quelques heures mes sombres pensées. Le lendemain de notre arrivée, Héloïse invita Cléonice et son mari et j'eus grand plaisir à revoir cette amie si chère et à apprendre qu'elle était heureuse avec Gilles. Nous promîmes de ne pas nous perdre de vue. Mais comment tenir cette promesse lorsque je serais à nouveau sous la coupe de Léon à des lieues de Québec et sans aucun moyen de me déplacer ?

Avec beaucoup de gentillesse, Héloïse nous fit partager sa vie.

Elle commanda pour nous à son drapier et à sa couturière plusieurs tenues. Margot détestait les essayages et je voyais bien que les robes, dentelles, jupons et colifichets ne l'attiraient pas. Cependant, elle avait une grâce naturelle qui étonna le drapier :

— Madame ne déparerait pas à la cour de notre roi !

Margot éclata de rire.

— Oh, non, parader dans les salons ne m'attire pas. Je préfère les forêts de chez nous.

Nous fûmes invitées à des bals, des divertissements organisés par les personnalités de Québec. Je me lassai vite, moi aussi, de toutes ces fêtes. Les gens étaient frivoles, mesquins, imbus d'eux-mêmes. Contrairement à ce que j'avais imaginé, l'atmosphère des salons me déplut. J'avais besoin d'espace, de rencontrer des gens pour qui le travail, l'amitié, le courage étaient de vraies valeurs.

Néanmoins, je n'avouais pas ma déception à Héloïse qui faisait tout pour nous distraire et nous faire patienter en attendant que les Iroquois déposent les armes et que nos maris reviennent. Margot, dont le ventre commençait à s'arrondir, était fort impatiente de revoir son époux.

J'espérais que le mien resterait le plus longtemps possible à chasser le castor.

CHAPITRE

20 BIS

Anne

Nous embarquâmes sur *La Diligente.*

L'effervescence qui s'empare d'un port juste avant le départ d'un navire m'était inconnue et lorsque nous arrivâmes sur le quai, tout m'étonna : la quantité incroyable de tonneaux, sacs, coffres, barils entassés là et que les portefaix transportaient à bord ; les cages contenant poules, lapins, pigeons, coqs caquetant ou roucoulant, les chèvres et les moutons qui bêlaient au bout de leur longe, les cochons roses qui grognaient et les vaches aux pis lourds qui meuglaient, tous ces animaux attendant eux aussi d'être hissés à bord. J'étais si peu habituée aux bruits, aux odeurs nauséabondes, aux mouvements que je me blottis contre l'épaule d'Augustin.

— Ah, ma mie, se moqua-t-il gentiment, un port n'a rien à voir avec l'ambiance d'un couvent.

Je me redressai aussitôt, fâchée de lui avoir donné de moi l'image d'une poltronne.

Les deux premières semaines à bord s'écoulèrent fort agréablement.

Nous logions dans une cabine exiguë humide et malodorante, mais je compris, lorsque je descendis par curiosité dans le pont inférieur, que c'était un luxe. Car je vis des femmes, des enfants, des hommes ayant un baluchon pour tout bagage, qui dormaient dans des hamacs ou à même le sol et qui semblaient s'en satisfaire. Je ne me plaignis donc point.

Le capitaine nous invita plusieurs soirs à sa table avec d'autres passagers de marque. Après le repas servi par des mousses, un musicien sortait son violon pour nous jouer quelques morceaux gais et, comme il y avait deux autres dames, nous dansions. Un soir, le commandant me proposa une gavotte et me félicita sur ma grâce et ma légèreté. Le compliment me fit rougir, mais j'étais heureuse de paraître à mon avantage afin de faire honneur à Augustin.

Celui-ci fut un peu incommodé par le mal de mer. Je ne l'étais point du tout, et je me permis une petite vengeance en plaisantant à mon tour :

— Eh bien, monsieur, vous êtes plus à l'aise à la cour du roi que sur un navire !

Après quatre semaines de traversée, l'eau que nous buvions avait un goût abominable bien que nous la coupâmes de vinaigre. Des vers grouillaient dans la farine et les haricots.

J'appris avec horreur que les fièvres avaient déjà fait plusieurs victimes parmi les passagers pauvres qui voyageaient dans la cale. Le capitaine nous recommanda de ne plus descendre dans les ponts inférieurs et de rester le plus souvent possible dans nos cabines. J'assistai tout de même de loin à l'immersion de plusieurs corps après que le prêtre du bord eut lu les prières des morts. Je les récitai moi aussi doucement et je versai des larmes de compassion lorsque j'aperçus une jeune femme en train de pleurer la disparition de son compagnon. Je voulus la consoler, mais Augustin m'en empêcha :

— Il ne faut point, ma mie, les fièvres sont très contagieuses et je ne voudrais point que vous soyez malade.

Je me serrai contre lui. La perspective que je pouvais le perdre me terrifia plus que celle de mourir. Je me pris à regretter ce départ pour le Québec qui, s'il me rapprochait de ma chère Gertrude, nous faisait courir à tous deux de si grands risques.

Et je n'étais point au bout de mes peines !

En effet, au matin du quarantième jour, le vent se leva, les vagues grossirent et notre navire fut ballotté par les flots comme s'il n'avait été qu'un fétu de paille. Le capitaine avait exigé qu'aucun passager ne monte sur le pont, par prudence et dans le souci, sans doute, de ne point gêner les manœuvres. Mais outre que dans le ventre du navire, l'air était quasi irrespirable, le spectacle des éléments déchaînés, même s'il m'effrayait, m'attira et je pointai mon nez sur le gaillard d'avant. Les ordres fusaient et les mousses surgissaient de nulle part pour grimper à la cime des mâts afin de carguer les voiles. J'admirais leur habileté tout en me demandant comment ils pouvaient rester accrochés dans les cordes alors que notre bâtiment nous secouait en tous sens. Des paquets d'eau balayaient le pont, et en quelques secondes, je fus trempée. Je redescendis dans notre cabine en assez piteux état. Augustin m'y attendait, penché au-dessus d'un baquet, car la tempête accentuait ses maux. Je croyais qu'il ne s'agissait que d'un « grain » comme le capitaine nous l'avait laissé entendre et que les éléments allaient vitement se calmer.

Il n'en fut rien et nous subîmes les assauts du vent et de la mer pendant trois jours.

Enfermés dans la cabine, nous ne pouvions point tenir debout ni même allongés sur nos couchettes, dont nous tombions si nous ne nous accrochions point au bord. Malgré la fatigue, nous ne parvenions pas à nous assoupir. Le bruit était étourdissant : la coque craquait, les poulies grinçaient, les voilures claquaient, les cordages battaient, le vent hurlait, les paquets de mer frappaient la coque. Je me bouchais les oreilles de mes deux mains, je n'en entendais que mieux les battements désordonnés de mon cœur. J'étais persuadée que notre vaisseau allait se disloquer et que nous allions tous périr noyés. Mourir alors que je venais de découvrir le bonheur d'être aimée me désespérait. Augustin et moi nous nous tenions la main afin que même la mort ne réussisse point à nous séparer. Entre deux séries de ferventes prières pour que les cieux nous épargnent, nous échangions des serments d'amour et d'autres fois nous vidions nos estomacs et nos entrailles dans le baquet. Car j'étais à présent presque aussi malade que lui.

Allions-nous arriver à Québec ou sombrerions-nous avant ? Seul Dieu connaissait la réponse.

CHAPITRE

21

Gertrude

L'été se glissa tout doucement à la suite d'un printemps trop court.

Les jours étaient plus longs, l'air plus sec, le soleil plus chaud. Nous étions chez Héloïse depuis deux mois et les nouvelles qu'elle parvenait à obtenir sur les affrontements entre Iroquois, Hurons et Français étaient très vagues. Il semblait bien qu'à Québec ces luttes, qui avaient lieu plus au nord, ne fussent pas dignes d'intérêt.

L'inquiétude de Margot grandissait et, après s'être quelque peu divertie dans les fêtes et les banquets, elle refusait à présent d'y assister. Il est vrai qu'elle était grosse de sept mois et qu'elle n'avait plus de goût pour la danse.

— J'ai un mauvais pressentiment, m'annonça-t-elle un matin. Cette nuit, en rêve, j'ai vu un cercueil. C'est signe de mort.

— Ce n'est qu'un cauchemar.

— C'est ce que les Blancs disent. Mais nos chamanes, eux, affirment que ce sont les esprits qui nous envoient des visions de notre avenir. Et je crois que Jean-Louis est en danger de mort.

Je ne sus comment la rassurer, car, après tout, elle avait peut-être raison.

Le soir même, nous nous apprêtions à nous installer autour d'une table bien garnie, lorsque nous entendîmes un cheval hennir dans la cour alors que nous n'avions point entendu le martèlement de ses fers sur les pavés[1].

— C'est Nayati ! s'exclama Margot en portant une main à son cœur. Il apporte une mauvaise nouvelle, j'en suis certaine.

Elle était très pâle. Héloïse l'obligea à s'asseoir et sonna une servante afin qu'elle apporte de l'eau de Hongrie[2]. Je lui pris la main pour la réconforter tandis que M. Dunoyer allait accueillir le visiteur.

1. Les chevaux indiens n'étaient pas ferrés.

2. Liqueur de fleurs de romarin distillée et fermentée dans du miel, qui avait guéri une reine de Hongrie au XIIIe siècle. Au XVIIe siècle, on s'en sert sous forme d'eau de toilette. On s'en tamponne les tempes pour recouvrer ses esprits.

Nayati entra, la culotte de peau couverte de poussière, le visage grave. Je ne pus m'empêcher d'admirer son allure, la vigueur de ses traits et sa peau cuivrée.

— Es-tu porteur d'une mauvaise nouvelle ? s'enquit immédiatement sa sœur.

— Hélas...

Margot poussa un cri et les sanglots la submergèrent.

Nayati, décontenancé par cette réaction, reprit aussitôt :

— Il s'agit de Léon.

— Léon ? s'étonna Margot.

Ses pleurs cessèrent aussitôt.

Quant à moi, supposant un mauvais tour de mon mari, je restai de marbre et je m'informai :

— Que lui est-il arrivé ?

— Ce qui arrive à beaucoup de coureurs des bois dépourvus de congé. Il s'est battu avec d'autres traiteurs[1] qui l'accusaient de chasser illégalement. Et malheureusement, Léon est mort.

Je ne poussai pas un cri. Je ne prononçai pas un mot. J'étais peinée parce que la mort d'un homme, quel qu'il soit, est toujours triste, mais je n'étais pas abattue. Léon était violent, buveur, intéressé et n'avait jamais éprouvé pour moi la moindre ten-

1. Qui font la traite des peaux de castor.

dresse. J'aurais voulu verser quelques larmes de compassion afin que mes amis ne me jugent pas sévèrement, mais mes yeux étaient secs. J'eus peur que Léon ait détruit en moi tout sentiment. Mais lorsque Nayati s'approcha de moi et posa doucement sa main sur mon épaule, le frémissement que je contins à peine me prouva que j'étais encore capable d'aimer.

— Nous prierons pour le repos de son âme, ajouta Héloïse.

J'acquiesçai d'un mouvement de tête.

— Quand et où sera-t-il enterré ? reprit-elle.

— J'ai découvert son corps sans vie à dix lieues de notre village. Il était mort de plusieurs coups de couteau depuis au moins trois jours. J'ai creusé sa tombe, je l'ai enseveli et j'ai planté une croix selon la coutume des chrétiens.

Il avait agi sagement et je lui étais reconnaissante de n'avoir pas laissé Léon sans sépulture.

— As-tu des nouvelles de... de Jean-Louis ? s'inquiéta Margot.

— Excellentes, lança Nayati. Les Iroquois ont rendu les armes et il va regagner Fort-Deschambault sous peu. Il a grande hâte de te voir et de te ramener à la maison !

Le visage de Margot s'illumina d'un franc sourire.

— Je suis heureuse, murmura-t-elle en caressant son ventre rebondi du plat de la main.

Puis croyant que sa joie me blessait, elle s'excusa :

— Que je suis sotte ! Pardonne-moi, Gertrude, c'est un moment difficile pour toi et...

— Ne vous inquiétez point pour moi. Au contraire. J'ai été mariée contre mon gré à un homme violent, je suis libre à présent. Je vais pouvoir mener mon existence à ma guise.

— Être une femme seule n'est pas facile, intervint Héloïse, comment assurerez-vous votre existence ?

— Je vais retourner sur notre terre et je l'exploiterai. Je ne suis pas paresseuse. J'y arriverai.

À ce moment-là, mon regard croisa celui de Nayati. J'y lus de la détermination et beaucoup de tendresse.

— Je l'aiderai, annonça-t-il.

Puis s'approchant de moi, il ajouta :

— Si tu le veux bien.

Une onde de bonheur me parcourut de la tête aux pieds. J'avais envie de crier « oui, oui, oui ! » mais cela n'aurait pas été correct et je répondis aussi calmement que mon émotion me le permit :

— Avec grand plaisir.

Cependant, je suis persuadée que tous les gens présents comprirent que, pour Nayati et moi, une nouvelle vie commençait.

CHAPITRE 22

J'étais heureuse. C'était bien la première fois que j'éprouvais ce sentiment de paix et de sécurité.

Nayati m'avait proposé de me raccompagner chez moi sur son cheval. Il ne fallait point perdre de temps. La belle saison était courte et, avant la venue de l'hiver, les récoltes devaient être engrangées, les animaux engraissés, le foin amassé dans la grange. Avec lui, je ne doutais pas d'y réussir.

Cependant, plus encore que d'un travailleur, j'avais besoin d'un homme doux, prévenant, qui saurait me faire oublier la cruauté de Léon. J'étais certaine que Nayati était celui-là. Je l'aimais secrètement depuis qu'il était venu me secourir dans la froideur de l'hiver.

Le lendemain matin, alors que nous nous apprêtions à regagner les environs de Neuville, Héloïse me prévint :

— Un navire venant de France vient de s'ancrer dans la rade du Cul-de-Sac. Peut-être apporte-t-il une lettre de votre amie Anne ?

— Puissiez-vous dire vrai ! Ainsi mon bonheur serait complet !

— Je vais assister au débarquement afin d'accueillir les nouveaux arrivants. Outre qu'il est très émouvant de rencontrer des gens de France, j'aime les renseigner, les orienter et aussi leur porter secours. Certains sont dans un si triste état !

— Je viens avec vous. Vous aider dans cette noble mission est un devoir.

Margot préféra se reposer à la maison, mais Nayati proposa de nous accompagner en l'absence de M. Dunoyer retenu par ses affaires.

Le cœur léger, je quittai la belle demeure des Dunoyer. Une calèche nous attendait pour nous conduire dans la basse ville jusqu'au port. Héloïse avait fait charger des paniers de victuailles, de boissons et des vêtements. On sentait que la perspective de faire une œuvre charitable la comblait.

Lorsque notre voiture déboucha sur le quai, les premières chaloupes accostaient le long du quai et déchargeaient leurs passagers. Certains, en habit de voyage, tenaient à la main leurs bagages, d'autres, la perruque bien poudrée, étaient escortés de leurs domestiques et d'autres encore, les bras ballants, vêtus de haillons, écarquillaient des yeux inquiets.

Héloïse descendit prestement de voiture et, son panier au bras, s'approcha de femmes et d'enfants qui titubaient en retrouvant le sol ferme comme s'ils avaient été ivres. Elle leur présentait du pain frais et du lait qu'ils dévoraient, une infinie gratitude dans le regard.

Je me souvenais de mon arrivée à Québec dix mois plus tôt. Aucune bonne âme n'était venue nous proposer du pain et du lait. Nous avions été immédiatement conduites dans ce couvent où Léon était venu m'acheter. Oui, c'est le sentiment que j'avais eu et il ne s'était point effacé depuis.

Un frisson me parcourut. Y avait-il aussi dans ce vaisseau des demoiselles envoyées par le roi pour peupler le Canada ? J'espérais que ce ne serait point le cas, car j'aurais eu trop de peine à les accueillir avec le sourire en sachant le sort qu'on leur réservait.

J'aidais Héloïse de mon mieux. Nayati nous suivait, veillant à ce que nous ne soyons pas bousculées par les portefaix, les cochers, les marchands ambulants qui couraient en tous sens pour offrir leurs services.

Dès que tous les passagers seraient à terre, les malles contenant le courrier de France seraient sans doute déchargées et l'une d'elles contiendrait un billet d'Anne. J'étais impatiente et j'aurais voulu faire accélérer le débarquement des passagers.

Les chaloupes se succédaient.

Nayati tendait la main aux dames pour les aider à quitter l'embarcation, et lorsqu'elles étaient trop faibles pour enjamber le bord, il les soulevait dans ses bras puissants. Je le regardais avec admiration et une petite voix chuchotait en moi « bientôt, c'est toi qu'il prendra dans ses bras ».

Le quai grouillait de monde. Héloïse s'affairait et sa provision de pain et de lait était presque épuisée.

— Ils ont subi une grave tempête, m'annonça-t-elle, il y a eu plusieurs morts, des blessés et bien sûr des malades.

J'étais agenouillée devant un enfant sale qui sanglotait et ne parvenait pas à boire le lait que je lui tendais dans un gobelet d'étain. Comme je jetais un coup d'œil vers la chaloupe qui venait d'accoster, une vision me fit lâcher soudainement le gobelet. À côté d'un jeune gentilhomme, je venais d'apercevoir un visage qui me rappelait celui de... Non, c'était impossible. Je me relevai brusquement. Un vertige me saisit. Je me passai une main tremblante sur le front comme pour m'assurer que je n'avais point la fièvre. Et vite, je replongeai les yeux dans la foule pour m'assurer que je n'avais pas rêvé. Mais il y avait tant de gens, tant de mouvement que je ne retrouvais pas le visage aimé. Affolée, je jouais des coudes pour fendre le groupe compact de tous ces gens parlant, criant, appelant, riant ou pleurant. Elle était là. Quelque part. Elle ou quelqu'un lui ressemblant ? Il fallait que je sache !

— Gertrude ! me cria Nayati, que fais-tu ?

Pas le temps de lui répondre. Je dévisageais chaque demoiselle, bousculant les hommes, tapant sans vergogne sur l'épaule des femmes afin qu'elles se retournent, avançant à droite, puis à gauche, revenant sur mes pas. Où était-elle ?

Soudain, je la vis. C'était elle. Ses cheveux, son doux visage. L'air me manqua, puis tout à coup il afflua à ma gorge et je hurlai pour dominer le tumulte :

— Anne ! Anne !

Reconnut-elle ma voix ? Elle se hissa sur la pointe des pieds et me chercha dans la foule. Lorsque nos regards se rencontrèrent, il se produisit, je le crois bien, pour elle comme pour moi, un feu d'artifice.

— Gertrude ! Gertrude ! cria-t-elle la voix enrouée par l'émotion.

Alors sans égard pour les pieds, les jambes, les bedaines, les nez, les chapeaux que je piétinais, écrasais, crochetais, je me précipitai vers elle, et comme elle fit de même, nous nous jetâmes l'une contre l'autre en pleurant de joie.

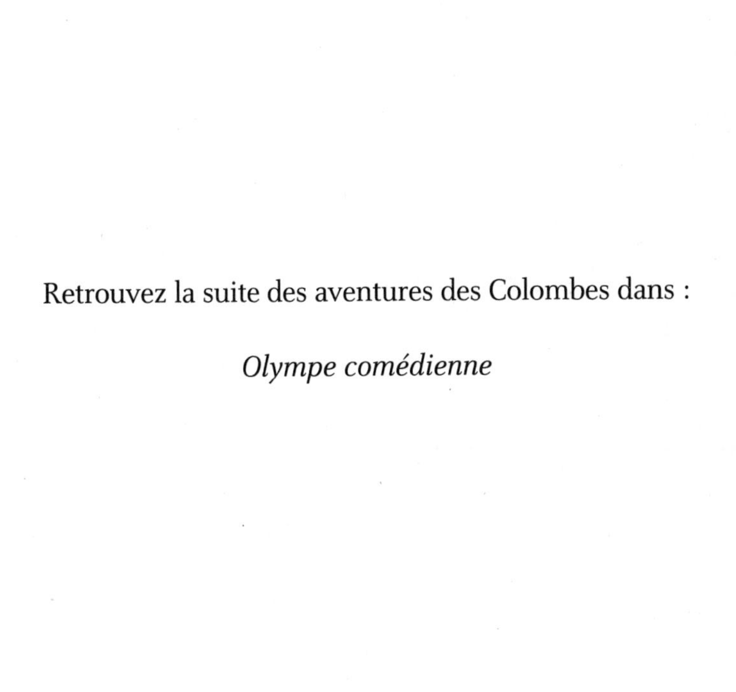

Retrouvez la suite des aventures des Colombes dans :

Olympe comédienne

L'auteur

En un quart de siècle, Anne-Marie Desplat-Duc a publié une soixantaine de romans dont beaucoup ont été primés. Rien de surprenant quand on sait que sa passion est l'écriture et qu'elle y consacre tout son temps. Comme elle aime les enfants, c'est pour eux qu'elle écrit des histoires qui finissent bien. Vous pouvez toutes les découvrir sur son site Internet :
http://a.desplatduc.free.fr

CHEZ FLAMMARION, ELLE A DÉJÀ PUBLIÉ :

Félix Têtedeveau
Une formule magicatastrophique
Un héros pas comme les autres
Ton amie pour la vie
L'enfance du Soleil
Les lumières du théâtre : Corneille, Racine, Molière et les autres

• **Les héros du 18 :**
Un mystérieux incendiaire (T. 1)
Prisonniers des flammes (T. 2)
Déluge sur la ville (T. 3)
Les chiens en mission (T. 4)
Urgences en série (T. 5)

• **Les Colombes du Roi-Soleil :**
Les comédiennes de monsieur Racine (T. 1)
Le secret de Louise (T. 2)

Charlotte la rebelle (T. 3)
La promesse d'Hortense (T. 4)
Le rêve d'Isabeau (T. 5)
Éléonore et l'alchimiste (T. 6)
Un corsaire nommé Henriette (T. 7)
Gertrude et le Nouveau Monde (T. 8)
Olympe comédienne (T. 9)
Adélaïde et le prince noir (T. 10)
Jeanne, parfumeur du roi (T. 11)
Victoire et la princesse de Savoie (T. 12)

• **Marie-Anne, fille du roi :**
Premier bal à Versailles (T. 1)
Un traître à Versailles (T. 2)
Le secret de la lavandière (T. 3)
Une mystérieuse reine de Pologne (T. 4)
La malédiction du diamant bleu (T. 5)

Découvrez le site des Colombes du Roi-Soleil :
http://www.lescolombesduroisoleil.com/

L'illustratrice

Aline Bureau est née à Orléans en 1971. Elle a étudié le graphisme à l'école Estienne puis la gravure aux Arts décoratifs à Paris. C'est dans l'illustration qu'elle s'est lancée en travaillant d'abord pour la presse et la publicité, puis pour l'édition jeunesse.

ANNE-MARIE DESPLAT-DUC

MARIE-ANNE

FILLE DU ROI

Tome 1

PREMIER BAL À VERSAILLES

1674.

Marie-Anne, élevée loin de la cour, apprend qu'elle est la fille du Roi Soleil. Prévenue des dangers d'une vie fastueuse, Marie-Anne s'apprête à découvrir Versailles et à faire son entrée dans la lumière.

Soudain, tous les regards se tournent vers elle…

Tome 2

UN TRAÎTRE À VERSAILLES

La cour a suivi le roi à la guerre. Versailles vidé de ses habitants, Marie-Anne et Louis sont seuls. Ils profitent de leur liberté pour partir à la découverte du château et du parc. Mais à plusieurs reprises, Marie-Anne surprend d'étranges conversations. Un complot semble se nouer : le roi est en danger, la monarchie est menacée. La jeune princesse mène l'enquête...

Tome 3

Le secret de la lavandière

C'est l'hiver. Le Roi et sa cour s'installent à Saint-Germain. Marie-Anne y rencontre Rosine, une jeune Bretonne dont le frère est emprisonné pour avoir participé à la révolte des Bonnets rouges. Marie-Anne s'émeut de son sort et décide de tout mettre en œuvre pour sauver le beau jeune homme. Mais ne risque-t-elle pas de fâcher le Roi ?
Pour Marie-Anne, la liberté vaut bien tous les sacrifices…

Tome 4

UNE MYSTÉRIEUSE REINE DE POLOGNE

Louis XIV, parti à la guerre, confie à son épouse la gestion du royaume. Mme de Montespan s'est retirée dans son château de Clagny. Tout est donc pour le mieux à Saint-Germain. Mais la reine de Pologne annonce son arrivée et la bonne humeur de la reine de France disparaît. Pourquoi cette reine étrangère n'est-elle pas la bienvenue à la cour ?

Tome 5

LA MALÉDICTION DU DIAMANT BLEU

Jean-Baptiste Tavernier, grand voyageur, est de retour des Indes avec de nombreuses pierres précieuses dont un diamant bleu d'une exceptionnelle grosseur.
Il compte bien le vendre un très bon prix à Louis XIV.
Mais Marie-Anne apprend que ce diamant est frappé par une malédiction.
Parviendra-t-elle à empêcher son père de l'acquérir ?

L'enfance du soleil
Anne-Marie Desplat-Duc

« On a beaucoup écrit sur moi, ou plutôt sur le grand roi que je suis devenu, le Roi-Soleil. Ma jeunesse a été faite de joies, de peines, d'amours, d'amitiés et de trahisons. L'absence d'un père, les tourments d'un pays en guerre, l'affection d'un frère et d'une mère, l'amour de la belle Marie Mancini... Qui, mieux que moi, saurait les raconter ? J'ai décidé de prendre la plume. »

De l'enfant-roi au Roi-Soleil : l'itinéraire exceptionnel de l'un des plus grands monarques

Flammarion jeunesse

Un héros pas comme les autres
Anne-Marie Desplat-Duc

Mathias est un jeune paysan. Il est amoureux de la belle châtelaine Aélis. Mais comment gagner son cœur face à un rival comme le comte Lebigle ? En demandant un petit coup de pouce à... l'auteur ! Seulement Mathias vit au Moyen Âge, Aélis habite dans un château fort et l'auteur lui parle d'hélicoptère et de téléphone... Quel mélange explosif !

« - Ah ! Ça c'est une bonne idée, l'auteur !
- Oui, je n'en suis pas mécontente, et puis, il fallait bien que je te donne un coup de main. »

Flammarion jeunesse

Imprimé à Barcelone par:

Composé par Nord Compo Multimédia
7, rue de Fives, 59650 Villeneuve-d'Ascq

Dépôt légal : mai 2012
N° d'édition : L.01EJEN000764.C002
Loi n° 49-956 du 16 juillet 1949
sur les publications destinées à la jeunesse